GRAB A PENCIL WORD FIND PUZZLES

by Louise Everett

Watermill Press

Printed in the United States of America.
ISBN 0-8167-0023-0

HOW TO SOLVE WORD FIND PUZZLES

Each puzzle has a word list. All the words on the list are hidden in the puzzle. You can find them by reading in any direction—up, down, across, backwards, and diagonally—but always in a straight line. As you find each word in the puzzle, circle it and cross it off the list.

Answers are at the back of the book.

1
Birds Of A Feather

Blackbird
Blue Jay
Bluebird
Canary
Cardinal
Cuckoo
Dove
Finch
Lark
Magpie
Nightingale
Oriole
Pigeon
Raven
Robin
Sparrow
Starling
Swallow
Thrush
Wren

O	R	I	O	L	E	R	D	C	V	H	D	D
M	O	N	T	A	L	P	I	G	E	O	N	R
N	B	N	H	R	A	V	E	N	V	R	Z	I
B	I	T	P	K	B	D	Y	E	M	B	A	B
L	N	I	G	H	T	I	N	G	A	L	E	E
W	C	S	T	A	R	L	I	N	G	K	L	U
Z	H	W	P	M	G	H	C	B	P	L	Z	L
B	C	A	M	A	H	S	R	D	I	B	N	B
L	R	L	G	B	R	L	D	C	E	R	C	L
A	N	L	T	T	H	R	U	S	H	K	F	U
C	P	O	F	D	Y	P	O	R	L	T	I	E
K	M	W	C	R	J	O	N	W	R	E	N	J
B	G	H	L	Z	K	B	R	Y	T	R	C	A
I	T	K	L	C	A	N	A	R	Y	L	H	Y
R	B	D	U	P	F	R	M	N	T	L	J	R
D	Y	C	A	R	D	I	N	A	L	F	P	R

Solution is on page 66.

2
Trees, Please!

Birch
Catalpa
Chestnut
Cypress
Elm
Fir
Hemlock
Laurel
Locust
Maple
Myrtle
Oak
Pine
Poplar
Redwood
Sequoia
Spruce
Sycamore
Willow
Yew

C	A	T	A	L	P	A	D	Y	G	L	T	P
G	N	J	R	D	N	P	M	G	C	S	I	B
S	S	Y	C	A	M	O	R	E	D	N	M	R
H	P	B	L	N	K	Q	H	E	E	C	R	E
H	R	T	L	A	U	R	E	L	R	R	C	D
P	U	M	O	N	D	P	M	M	F	A	D	W
F	C	D	G	S	E	Q	U	O	I	A	R	O
S	E	H	N	Q	R	P	T	K	R	L	K	O
T	D	F	W	H	M	Y	R	T	L	E	K	D
B	P	R	P	B	Q	X	Y	G	L	P	R	N
I	F	R	D	D	N	H	E	M	L	O	C	K
R	B	H	L	N	R	M	N	R	D	P	K	M
C	H	E	S	T	N	U	T	N	P	L	K	D
H	C	Y	P	R	E	S	S	G	L	A	M	T
R	E	H	L	O	C	U	S	T	M	R	D	N
W	I	L	L	O	W	D	N	M	A	P	L	E

Solution is on page 67.

3
Gem Collection

Agate
Amethyst
Aquamarine
Beryl
Bloodstone
Diamond
Emerald
Garnet
Jade
Jasper
Jet
Moonstone
Obsidian
Onyx
Opal
Ruby
Sapphire
Topaz
Turquoise
Zircon

R K L X H A M E T H Y S T
E R D Y H L M V P V P W R
M Z B L O O D S T O N E D
E U T T J E T M N W R J I
R T R Z D N L R Y B D A A
A Q U A M A R I N E W S M
L D J C Q R G P L M N P O
D X G O B S I D I A N E N
B D Y W X D C B X M Y R D
T Y G N T U R Q U O I S E
D L M O O N S T O N E L H
P Q W M P N R B C D A V B
T E N R A G K P N P W E H
D C N M Z I R C O N R N F
A G A T E K H X N Y T P R
S A P P H I R E L G L T M

Solution is on page 68.

4
It's Raining Cats and Dogs

Angora
Beagle
Boxer
Bulldog
Burmese
Calico
Collie
Dalmatian
Great Dane
Longhair
Manx
Mastiff
Persian
Pointer
Poodle
Pug
Rex
Shorthair
Siamese
Tabby

P	D	W	B	O	X	E	R	D	L	F	Y	L
B	U	P	G	E	C	N	D	L	F	T	H	B
L	R	G	R	H	C	N	A	W	H	L	D	S
V	C	G	E	T	B	U	R	M	E	S	E	H
A	O	Y	A	N	U	N	C	A	L	I	C	O
N	L	N	T	P	L	M	N	S	R	P	W	R
G	L	G	D	A	L	M	A	T	I	A	N	T
O	I	N	A	W	D	M	G	I	T	X	V	H
R	E	N	N	W	O	P	N	F	S	V	Y	A
A	S	Y	E	D	G	E	P	F	R	B	C	I
N	P	P	W	B	T	R	V	V	B	W	T	R
P	O	R	D	E	T	S	I	A	M	E	S	E
T	O	C	L	A	R	I	T	N	W	W	P	T
L	D	R	N	G	N	A	M	G	Q	S	W	P
T	L	B	R	L	O	N	G	H	A	I	R	M
C	E	N	R	E	F	P	O	I	N	T	E	R

Solution is on page 69.

5
Big Plants, Little Plants

Cactus
Cattail
Conifers
Fern
Flower
Fungi
Grains
Grass
Herb
Horsetail
Kelp
Mold
Moss
Mushroom
Pine
Poison Ivy
Seaweed
Shrub
Tree
Weeds

M	Q	H	O	R	S	E	T	A	I	L	S	M
H	O	N	R	P	T	N	F	R	P	T	O	F
E	R	L	S	N	M	I	L	S	L	S	M	E
R	G	R	D	P	D	P	V	L	S	P	C	R
B	R	T	C	A	T	T	A	I	L	W	A	N
D	N	C	S	E	A	W	E	E	D	H	C	L
F	F	N	H	B	G	E	R	M	N	P	T	G
U	L	N	R	T	R	E	M	L	H	B	U	R
N	O	P	U	G	T	D	H	L	M	N	S	A
G	W	V	B	M	U	S	H	R	O	O	M	S
I	E	W	M	C	D	N	N	M	R	G	M	S
L	R	T	C	O	N	I	F	E	R	S	X	V
L	H	N	E	S	Y	A	H	R	K	P	R	D
R	T	E	G	T	L	R	M	P	V	E	D	L
V	R	L	H	B	T	G	G	N	R	B	L	C
T	N	P	O	I	S	O	N	I	V	Y	P	P

Solution is on page 70.

6
Ship Ahoy!

Bark
Brig
Canoe
Dinghy
Dory
Dugout
Ferry
Iceboat
Kayak
Junk
Lifeboat
Outrigger
Rowboat
Sailboat
Skiff
Sloop
Steamer
Tug
Whaler
Yawl

T F H R Y A W L K D D N D
H U Z R P M S D X N O P I
K C G R D T W R K T R Y N
A N J U N K L Q P X Y Y G
Y O U T R I G G E R R T H
A T V A B R I T W R N A Y
K N B T R R L C E D L O I
F R K R B H R F C D N B C
W V R S P H C R D L N L E
G L T L C A N O E I R I B
D U G O U T M R N F J A O
Y P C O D F V L M E N S A
X Z N P F F R O W B O A T
W G H I F T V G Y O H R Z
N L K R M N W W H A L E R
Z S N L R E M A E T S N P

Solution is on page 71.

7
Forest Friends

Catbird
Chipmunk
Cricket
Crow
Fox
Frog
Groundhog
Hawk
Mouse
Mole
Owl
Rabbit
Raccoon
Shrew
Squirrel
Snake
Spider
Toad
Woodchuck
Woodpecker

M	O	U	S	E	Y	X	R	A	B	B	I	T
T	Z	S	M	F	Z	S	D	L	D	R	C	Y
D	M	W	O	O	D	P	E	C	K	E	R	R
G	M	O	B	X	P	L	G	C	H	F	O	N
S	X	O	L	G	P	H	Z	P	H	A	W	K
H	G	D	H	E	Z	S	T	T	C	Y	S	X
R	A	C	C	O	O	N	R	B	R	P	B	T
E	B	H	C	N	C	A	T	B	I	R	D	L
W	H	U	P	H	S	G	D	W	C	G	Z	T
X	L	C	H	I	P	M	U	N	K	Y	S	Z
L	Y	K	R	B	I	C	K	H	E	M	N	N
M	R	R	P	R	D	T	Q	B	T	O	A	D
D	B	L	P	T	E	W	T	F	N	L	K	P
S	Q	U	I	R	R	E	L	R	W	F	E	T
T	M	P	L	P	N	P	P	O	W	R	F	Q
G	R	O	U	N	D	H	O	G	P	L	T	S

Solution is on page 72.

8
Something's Fishy

Bass
Bluefish
Catfish
Cod
Eel
Flounder
Flying Fish
Goldfish
Haddock
Herring
Mackerel
Perch
Piranha
Pompano
Salmon
Sardine
Smelt
Swordfish
Trout
Tuna

C	H	D	B	L	U	E	F	I	S	H	M	T
R	O	M	D	R	P	X	L	T	W	X	U	R
H	A	D	D	O	C	K	Y	Y	S	N	G	O
M	S	J	H	C	T	T	I	M	A	O	W	U
A	J	H	T	B	A	M	N	T	L	L	R	T
C	G	T	V	F	H	T	G	D	N	W	P	R
K	H	S	W	O	R	D	F	I	S	H	O	T
E	C	A	H	V	R	I	I	I	Z	D	M	L
R	R	R	T	N	S	G	S	R	S	Z	P	G
E	E	D	H	H	M	N	H	W	S	H	A	N
L	P	I	R	A	N	H	A	R	D	H	N	N
N	Q	N	T	C	G	D	M	S	T	B	O	O
R	H	E	R	R	I	N	G	L	B	N	D	M
W	F	L	O	U	N	D	E	R	Y	A	G	L
N	E	R	N	W	G	M	S	U	H	W	S	A
E	N	L	H	J	S	R	N	N	W	H	S	S

Solution is on page 73.

9
Snakes

Anaconda
Asp
Black Racer
Boa
Brown
Cobra
Copperhead
Coral
Cottonmouth
Garter
Green
Hognose
King
Pit Viper
Python
Rattlesnake
Ringneck
Sea
Water
Whip

B	R	C	O	P	P	E	R	H	E	A	D	T
L	C	O	T	T	O	N	M	O	U	T	H	K
A	M	N	R	E	T	R	A	G	P	K	N	M
C	H	L	C	W	P	G	L	N	H	S	L	S
K	H	B	K	A	I	N	W	O	D	G	E	L
R	P	R	A	T	T	L	E	S	N	A	K	E
A	R	O	N	E	V	M	L	E	W	K	I	R
C	L	W	N	R	I	W	P	K	R	R	N	W
E	N	N	H	R	P	C	H	R	G	G	G	M
R	R	W	V	Y	E	M	T	K	T	T	L	C
G	L	D	T	M	R	I	N	G	N	E	C	K
H	W	H	I	P	C	T	C	R	P	Y	H	M
H	O	A	N	A	C	O	N	D	A	R	P	G
N	D	C	M	P	B	C	R	M	L	S	T	K
L	W	P	T	R	Q	L	M	A	K	T	P	L
M	B	O	A	L	R	C	N	P	L	T	K	R

Solution is on page 74.

10
Shells From The Sea

Abalone
Clam
Cockle
Conch
Cone
Cowrie
Limpet
Murex
Mussel
Nautilus
Oyster
Periwinkle
Scallop
Snail
Tooth
Trumpet
Turret
Tusk
Wentletrap
Whelk

P	E	R	I	W	I	N	K	L	E	T	R	P
T	H	B	T	H	R	K	Y	B	L	S	N	M
H	V	Z	W	E	N	T	L	E	T	R	A	P
L	P	N	H	L	M	R	R	G	O	Z	X	H
N	L	L	I	K	R	U	S	Y	O	M	R	H
S	N	A	I	L	R	M	T	P	T	U	S	K
C	A	P	M	H	R	P	S	G	H	N	L	M
A	U	F	E	L	Q	E	N	M	P	G	R	K
L	T	K	G	N	B	T	U	R	R	E	T	D
L	I	D	D	C	O	Y	S	T	E	R	M	X
O	L	X	M	M	N	C	O	C	K	L	E	T
P	U	J	U	W	G	O	O	L	M	N	T	E
M	S	R	S	T	P	W	N	N	P	R	N	P
H	E	W	S	M	N	R	W	R	C	L	A	M
X	D	C	E	P	R	I	R	P	W	H	R	I
A	B	A	L	O	N	E	K	P	K	P	M	L

Solution is on page 75.

11
On The Job

Actor
Actress
Artist
Banker
Builder
Butcher
Dentist
Detective
Doctor
Farmer
Lawyer
Miner
Nurse
Pilot
Plumber
Secretary
Singer
Teacher
Typist
Writer

S	E	C	R	E	T	A	R	Y	B	R	W	T
H	I	R	V	M	D	Y	O	N	F	G	D	E
B	J	N	P	L	B	U	T	C	H	E	R	A
U	Q	F	G	L	T	H	C	S	G	G	M	C
I	P	R	P	E	B	R	O	T	C	A	C	H
L	A	W	Y	E	R	P	D	S	L	R	J	E
D	V	Y	M	P	I	A	K	F	G	T	V	R
E	T	B	M	L	K	C	T	Y	P	I	S	T
R	W	B	O	Y	N	T	N	U	R	S	E	R
K	R	T	L	D	N	R	N	R	T	T	E	B
F	E	R	V	L	M	E	S	E	S	B	G	A
A	T	E	M	Y	H	S	C	I	M	D	V	N
R	I	N	G	D	Y	S	T	U	C	W	W	K
M	R	I	L	T	N	N	L	B	R	N	R	E
E	W	M	W	B	E	P	R	N	B	R	W	R
R	F	L	D	D	E	T	E	C	T	I	V	E

Solution is on page 76.

12
Music Makers

Bagpipe
Banjo
Bass
Cello
Chimes
Drum
Flute
Guitar
Harmonica
Harp
Lute
Mandolin
Organ
Piano
Recorder
Tuba
Ukulele
Viola
Violin
Zither

J	R	H	T	Q	T	B	J	P	N	L	P	L
D	Z	V	A	K	G	U	R	B	I	Y	X	G
Z	D	C	H	R	W	P	B	F	H	A	R	R
B	Y	R	E	D	P	D	B	A	L	M	N	P
A	A	S	C	L	T	R	R	D	B	U	N	O
G	Q	S	T	N	L	D	R	U	P	K	T	R
P	N	D	S	N	T	O	K	V	M	K	V	E
I	M	M	A	N	D	O	L	I	N	B	R	C
P	G	G	T	L	M	N	B	O	N	L	D	O
E	T	U	L	N	V	I	O	L	A	G	D	R
N	Y	I	R	F	R	C	H	I	M	E	S	D
R	D	T	Q	T	L	B	A	N	J	O	R	E
B	T	A	H	K	L	B	K	T	J	R	G	R
H	A	R	M	O	N	I	C	A	R	G	X	T
K	B	U	K	U	L	E	L	E	R	A	N	S
Z	I	T	H	E	R	L	D	F	R	N	G	T

Solution is on page 77.

13
Rock Collection

Cobalt
Copper
Feldspar
Flint
Gold
Granite
Iron
Lead
Limestone
Marble
Mica
Pumice
Quartz
Sandstone
Shale
Silver
Slate
Tin
Uranium
Zinc

Z	N	L	R	F	E	L	D	S	P	A	R	R
G	I	Z	B	D	P	C	M	L	N	V	R	F
L	T	N	X	H	X	L	G	A	H	R	L	N
T	T	D	C	O	B	A	L	T	K	I	R	Q
M	D	Y	M	H	I	L	S	E	N	W	N	U
T	I	M	W	N	S	R	T	T	L	D	G	A
R	N	C	M	D	G	C	O	P	P	E	R	R
H	Z	T	A	K	S	R	M	N	T	D	W	T
Z	L	N	U	R	A	N	I	U	M	X	P	Z
L	L	I	M	E	S	T	O	N	E	R	U	K
R	E	L	T	G	B	H	H	K	L	X	M	R
G	R	A	N	I	T	E	A	H	D	P	I	D
W	O	Z	D	F	T	K	P	L	K	R	C	M
Z	P	L	G	M	A	R	B	L	E	P	E	N
S	A	N	D	S	T	O	N	E	R	R	S	N
D	C	B	L	Q	M	N	R	E	V	L	I	S

Solution is on page 78.

14 American Indian Tribes

Apache
Aztec
Blackfeet
Chippewa
Creek
Crow
Hopi
Huron
Inca
Iroquois
Kiowa
Maya
Miami
Navajo
Omaha
Pawnee
Pueblo
Sioux
Tlingit
Yuma

D	Y	M	C	H	I	P	P	E	W	A	L	G
A	P	A	C	H	E	H	E	G	N	J	R	O
Y	D	Y	N	P	M	N	G	C	F	R	L	M
U	D	A	D	N	W	B	M	M	B	B	C	A
M	G	B	L	A	C	K	F	E	E	T	S	H
A	N	I	P	D	S	I	O	U	X	J	L	A
C	R	E	E	K	C	K	P	H	B	H	K	L
R	N	Q	H	C	I	R	O	Q	U	O	I	S
O	M	R	S	L	F	S	T	A	N	M	O	C
W	H	S	R	T	R	B	C	Q	N	S	W	Y
N	R	H	U	R	O	N	D	N	T	D	A	K
A	P	O	L	G	I	T	G	N	R	J	M	C
Z	S	P	G	W	H	B	D	M	I	A	M	I
T	L	I	N	G	I	T	N	L	S	K	C	D
E	F	L	H	N	Q	H	C	M	R	S	L	L
C	T	N	M	L	F	H	N	A	V	A	J	O

Solution is on page 79.

15
Breadbasket

Bagels
Banana
Barley
Bran
Breadstick
Cinnamon
Corn
Date
French
Italian
Matzo
Melba Toast
Nut
Oatmeal
Pita
Raisin
Rye
Taco
Wheat
White

T	G	M	E	L	B	A	T	O	A	S	T	N
P	T	U	N	H	W	L	S	P	P	G	R	N
L	T	B	A	G	E	L	S	I	B	O	G	M
G	R	P	R	D	N	V	C	T	C	F	K	M
W	T	J	B	A	N	A	N	A	R	K	W	W
H	M	N	A	T	L	T	T	N	L	N	X	H
I	P	F	R	E	N	C	H	W	I	N	C	E
T	F	H	L	N	R	K	D	S	P	N	N	A
E	R	N	E	L	T	M	I	R	A	E	N	T
V	X	R	Y	E	M	A	G	I	R	P	L	T
R	T	O	L	L	R	Y	L	T	H	D	A	G
T	C	C	I	N	N	A	M	O	N	L	E	N
Q	R	M	M	A	T	Z	O	Y	R	T	M	R
H	L	T	G	I	M	H	N	D	C	D	T	G
T	P	R	G	L	P	Q	R	Z	G	P	A	M
B	R	E	A	D	S	T	I	C	K	L	O	N

Solution is on page 80.

16
Famous Americans

Boone
Douglass
Edison
Franklin
Hale
Jefferson
Jones
Keller
Kennedy
King
Lee
Lincoln
Pocahontas
Revere
Sitting Bull
Thorpe
Tubman
Washington
Whitman
Wright

K	R	T	U	B	M	A	N	J	R	H	C	K
E	K	H	L	X	H	R	D	H	L	M	X	E
L	P	O	F	R	A	N	K	L	I	N	F	N
L	V	R	W	P	N	R	J	I	Z	F	T	N
E	T	P	O	C	A	H	O	N	T	A	S	E
R	M	E	N	P	R	H	N	C	D	T	R	D
E	W	R	I	G	H	T	E	O	O	W	N	Y
D	Y	R	G	F	L	P	S	L	U	S	T	R
I	W	N	M	Y	T	K	I	N	G	X	R	S
S	I	T	T	I	N	G	B	U	L	L	D	R
O	L	W	H	I	T	M	A	N	A	W	F	E
N	V	Q	P	T	E	F	Y	E	S	Q	N	V
B	Y	R	J	E	F	F	E	R	S	O	N	E
T	Y	G	L	N	D	L	C	B	O	Q	R	R
T	R	Z	G	R	A	L	N	B	R	M	X	E
T	W	A	S	H	I	N	G	T	O	N	Y	G

Solution is on page 81.

17
Great Inventions

Car
Compass
Computer
Cotton Gin
Electric Light
Elevator
Lever
Microscope
Paper
Plow
Pulley
Radar
Radio
Rocket
Screw
Steam Engine
Telephone
Television
X Ray
Wheel

T	E	L	E	V	I	S	I	O	N	H	M	S
E	M	E	K	D	N	H	R	O	C	K	E	T
L	C	V	R	D	R	R	A	D	A	R	C	E
E	K	E	T	S	R	L	D	C	M	W	G	A
P	Z	R	R	T	C	N	I	Q	P	C	X	M
H	T	R	M	I	C	R	O	S	C	O	P	E
O	N	Y	H	M	O	W	E	N	O	T	L	N
N	R	T	W	G	M	L	M	W	M	T	G	G
E	E	F	H	G	P	R	K	R	P	O	H	I
M	P	N	E	Z	U	P	R	L	A	N	C	N
N	A	R	E	K	T	P	H	M	S	G	A	E
R	P	U	L	L	E	Y	H	H	S	I	R	L
G	L	Z	R	X	R	A	Y	S	T	N	P	G
R	O	R	K	N	M	T	R	D	C	M	N	Z
G	W	T	C	R	E	L	E	V	A	T	O	R
E	L	E	C	T	R	I	C	L	I	G	H	T

Solution is on page 82.

18
All Kinds Of Mammals

- Ape
- Bat
- Bear
- Camel
- Cat
- Deer
- Dog
- Goat
- Hog
- Horse
- Human
- Monkey
- Rabbit
- Raccoon
- Rat
- Seal
- Sheep
- Walrus
- Weasel
- Whale

T	S	N	H	S	L	T	L	M	D	E	E	R
H	C	K	T	B	R	G	T	W	M	C	G	C
N	R	A	B	B	I	T	P	S	P	M	T	H
N	B	D	R	T	V	T	T	L	G	G	B	G
A	G	B	D	R	A	C	C	O	O	N	Y	D
M	O	L	V	C	C	R	D	H	V	R	C	H
U	Y	M	T	Y	T	L	F	P	A	T	T	O
H	U	B	T	W	E	A	S	E	L	D	S	R
B	N	A	H	W	K	Y	B	R	G	N	Y	S
M	O	N	K	E	Y	W	B	D	R	S	N	E
G	V	T	L	G	D	B	S	H	E	E	P	P
W	A	L	R	U	S	V	G	S	P	A	C	V
H	T	K	C	D	T	R	T	N	M	L	C	M
A	C	D	C	A	M	E	L	K	T	N	E	C
L	M	C	R	D	R	T	N	M	B	L	A	K
E	L	F	P	R	N	R	M	S	N	G	R	T

Solution is on page 83.

19
A Place To Call Home

Apartment
Cabin
Castle
Chalet
Cottage
Hotel
House
Houseboat
Hut
Igloo
Inn
Mansion
Motel
Palace
Shed
Skyscraper
Tent
Tepee
Tower
Villa

F	D	N	T	R	N	V	P	A	L	A	C	E
H	O	U	S	E	B	O	A	T	L	N	Q	N
G	M	A	N	S	I	O	N	L	K	Y	Z	N
X	N	W	R	P	Q	G	I	K	A	Z	W	R
C	H	A	L	E	T	V	D	G	P	B	D	N
O	T	D	G	L	G	H	S	C	A	B	I	N
T	E	P	E	E	C	K	L	N	R	F	G	I
T	E	N	T	N	F	L	V	E	T	D	P	G
A	M	N	D	G	B	R	P	R	M	L	K	L
G	T	Q	V	R	P	A	K	Y	E	T	M	O
E	W	G	N	E	R	H	M	G	N	R	O	O
C	T	L	S	C	L	V	N	W	T	R	T	M
D	N	U	S	M	L	V	N	U	D	P	E	W
E	O	Y	R	P	T	N	H	O	T	E	L	M
H	K	G	D	R	C	A	S	T	L	E	P	Q
S	W	W	T	O	W	E	R	K	L	M	N	R

Solution is on page 84.

20
Baby Animals

Calf
Colt
Cub
Duckling
Eaglet
Fawn
Fledgling
Foal
Gosling
Joey
Kid
Kit
Kitten
Lamb
Nestling
Piglet
Pup
Puppy
Tadpole
Whelp

D	Z	C	A	L	F	G	L	A	M	B	T	N
U	H	W	N	C	O	L	T	M	M	G	K	P
C	B	R	P	T	T	H	K	D	N	P	B	I
K	R	U	F	I	K	R	I	D	G	U	R	G
L	P	R	K	D	G	K	R	R	C	M	H	L
I	V	K	W	P	U	P	P	Y	Y	T	K	E
N	K	D	T	A	D	P	O	L	E	T	S	T
G	H	F	L	E	D	G	L	I	N	G	M	Y
L	S	A	D	C	C	T	L	W	K	P	E	R
H	O	V	H	N	M	G	A	N	H	O	L	X
F	C	S	N	Y	V	F	J	T	J	T	G	N
P	H	W	G	O	S	L	I	N	G	W	L	P
G	G	L	R	W	H	E	L	P	M	P	G	R
E	A	G	L	E	T	Y	K	I	T	T	E	N
X	M	N	C	R	K	L	Y	F	S	M	R	P
Q	L	P	N	E	S	T	L	I	N	G	R	T

Solution is on page 85.

21
By The Yard

Burlap
Cambric
Cashmere
Cotton
Dacron
Denim
Gauze
Lace
Linen
Muslin
Nylon
Orlon
Percale
Poplin
Rayon
Satin
Silk
Tweed
Velvet
Wool

S	P	N	G	L	A	C	E	D	J	H	K	L
T	P	L	J	R	K	O	M	N	L	R	L	J
K	A	F	H	S	A	T	I	N	P	V	N	L
L	L	P	T	T	R	T	Y	J	P	L	O	M
C	R	I	P	L	J	O	N	T	L	O	Y	P
A	U	Y	S	D	E	N	I	M	W	H	A	E
S	B	K	G	A	U	Z	E	U	G	F	R	R
H	R	T	Y	C	P	P	Y	S	F	H	T	C
M	T	T	P	R	G	O	M	L	N	Z	Y	A
E	J	T	Y	O	H	P	N	I	Y	V	P	L
R	N	R	M	N	Y	L	O	N	J	L	P	E
E	D	H	T	G	X	I	Y	L	Z	G	H	N
K	L	E	M	L	I	N	E	N	V	H	O	R
X	M	L	E	K	Y	T	R	L	Z	L	G	L
H	V	Z	X	W	C	A	M	B	R	I	C	R
V	E	L	V	E	T	Z	Y	O	K	Y	C	L

Solution is on page 86.

22
Tools Of The Trade

Axe
Chisel
Drill
File
Hammer
Hoe
Ladder
Paintbrush
Pen
Pitchfork
Plane
Pliers
Rake
Saw
Scissors
Sewing Machine
Shovel
Trowel
Typewriter
Wrench

A	L	T	R	T	S	N	Z	T	L	B	N	P
X	K	T	Y	P	E	W	R	I	T	E	R	L
E	R	T	N	L	R	Y	Q	C	R	T	A	A
B	R	W	P	I	T	C	H	F	O	R	K	N
V	K	X	D	E	M	J	B	C	L	N	E	E
S	P	X	D	R	I	L	L	F	E	P	B	N
C	L	T	P	S	N	N	D	L	W	K	H	R
I	D	R	N	E	E	H	R	V	O	L	Z	S
S	R	L	P	A	I	N	T	B	R	U	S	H
S	T	N	T	S	T	N	K	H	T	R	K	N
O	B	S	C	D	S	H	O	V	E	L	T	W
R	K	A	H	T	S	A	M	H	Y	F	N	R
S	E	W	I	N	G	M	A	C	H	I	N	E
S	H	G	S	P	N	M	G	B	O	L	D	N
H	Q	C	E	D	H	E	Z	L	E	E	M	C
N	G	B	L	D	L	R	E	D	D	A	L	H

Solution is on page 87.

23
Animals Of The Rain Forest

Anteater
Armadillo
Coati
Gecko
Green Boa
Jaguar
Leopard
Lizard
Macaw
Monkey
Ocelot
Orangutan
Parrot
Peccary
Puma
Sloth
Tapir
Tiger
Toad
Turtle

A	R	M	A	D	I	L	L	O	Z	D	V	C
N	S	P	N	X	C	S	L	K	T	H	F	Y
T	N	J	A	G	U	A	R	C	O	A	T	I
E	T	U	R	T	L	E	M	E	D	G	L	G
A	L	G	J	O	R	A	N	G	U	T	A	N
T	N	R	G	T	A	M	N	C	L	I	B	T
E	M	E	L	D	M	F	L	F	I	G	G	N
R	R	E	J	S	U	L	M	T	Z	E	R	K
B	C	N	S	T	P	E	C	C	A	R	Y	H
D	N	B	P	T	A	L	G	L	R	D	N	M
L	E	O	P	A	R	D	Y	N	D	N	M	O
H	F	A	L	W	R	T	T	S	H	N	D	N
T	R	Z	Y	D	O	N	O	L	G	D	L	K
O	C	E	L	O	T	T	A	P	I	R	L	E
L	R	M	Z	R	L	T	D	R	E	M	N	Y
S	P	R	F	D	P	M	A	C	A	W	B	T

Solution is on page 88.

24
Insect World

Ant	Honeybee
Bedbug	Hornet
Beetle	Katydid
Bumblebee	Ladybug
Butterfly	Locust
Cricket	Mayfly
Dragonfly	Mosquito
Flea	Moth
Fly	Termite
Grasshopper	Wasp

R T H O N E Y B E E K Y D

K D O K M O S Q U I T O R

T E R M I T E R W J L W A

H G N N W J Y X F L E A G

H S E P V G L N R K N N O

B U T T E R F L Y M H R N

U H R A T Q Y A Y O L R F

M B K N W L A D M T L T L

B E E T L E M Y R H N E Y

L D W V R S T B W V M K T

E B T H R G H U A M P C L

B U K W G L J G S R C I D

E G R A S S H O P P E R M

E N X J S F D T T L N C N

B N P T G L L O C U S T T

L T K M K A T Y D I D C L

Solution is on page 89.

25
From The Deep

Clam	Ray
Conch	Seal
Crab	Shark
Dolphin	Shrimp
Eel	Sponge
Jellyfish	Squid
Manatee	Starfish
Octopus	Turtle
Oyster	Walrus
Porpoise	Whale

F	D	L	G	B	T	E	M	V	L	T	S	L
G	E	N	A	T	G	L	M	V	W	N	A	J
E	Y	R	F	N	S	C	L	W	R	E	H	T
W	C	T	O	C	T	O	P	U	S	L	S	J
N	P	P	T	N	A	L	W	P	F	D	H	M
T	S	Y	P	O	R	P	O	I	S	E	R	N
J	E	L	L	Y	F	I	S	H	Q	L	I	N
N	H	L	V	R	I	X	T	L	M	N	M	S
D	G	B	N	R	S	W	Y	R	J	A	P	G
O	D	O	L	P	H	I	N	C	L	R	V	D
Y	H	W	T	R	S	F	M	C	O	N	C	H
S	L	M	A	N	A	T	E	E	C	L	M	K
T	U	R	T	L	E	L	K	H	G	B	R	D
E	N	H	L	C	A	J	L	Y	B	A	C	M
R	N	R	J	H	G	L	A	M	H	T	K	L
P	R	S	W	A	L	R	U	S	Q	U	I	D

Solution is on page 90.

26
Build-A-House

Adobe
Aluminum
Brick
Cement
Clay
Concrete
Glass
Granite
Insulation
Iron
Lumber
Marble
Nails
Plastic
Rock
Sandstone
Sheet Metal
Slate
Steel
Wood

C	L	A	Y	F	H	G	C	R	D	O	O	W
N	H	Z	R	P	N	L	M	X	R	D	T	M
B	R	I	C	K	N	A	R	L	E	E	T	S
G	Z	R	T	N	Q	S	S	P	N	M	R	P
R	O	C	K	R	R	S	K	E	N	O	R	I
F	V	E	Y	Z	L	X	N	Q	C	D	Y	N
L	U	M	B	E	R	O	G	E	T	A	L	S
X	B	E	T	Y	T	G	P	J	M	D	N	U
V	L	N	M	S	H	V	Z	N	C	O	X	L
R	N	T	D	M	M	R	L	N	I	B	T	A
X	B	N	T	G	R	A	N	I	T	E	D	T
L	A	T	E	M	T	E	E	H	S	M	N	I
S	X	Z	Q	C	F	V	Y	N	A	M	T	O
C	O	N	C	R	E	T	E	J	L	D	M	N
L	H	M	A	R	B	L	E	Z	P	N	L	R
A	L	U	M	I	N	U	M	S	L	I	A	N

Solution is on page 91.

27
Clothes Galore

Blouse
Boots
Coat
Dress
Gloves
Gown
Hat
Jacket
Jeans
Mittens
Pajamas
Parka
Raincoat
Scarf
Shirt
Shoes
Skirt
Slacks
Socks
Sweater

B	L	O	U	S	E	R	Y	L	N	M	B	W
H	S	W	E	A	T	E	R	F	G	W	O	H
S	M	I	T	T	E	N	S	C	L	J	O	M
K	Y	M	P	T	F	H	R	P	B	V	T	G
I	L	W	P	A	J	A	M	A	S	V	S	G
R	C	S	K	J	M	N	P	R	G	J	W	L
T	R	N	K	W	J	A	C	K	E	T	C	O
Y	H	W	M	C	K	K	H	R	W	F	G	V
R	A	I	N	C	O	A	T	C	K	J	L	E
M	N	P	V	D	G	S	W	S	N	N	M	S
T	S	C	A	R	F	T	R	K	S	P	L	M
R	A	B	T	T	D	G	M	C	N	E	R	J
P	L	O	M	P	A	R	K	A	K	F	R	T
D	G	D	C	P	R	H	Y	L	W	B	N	D
J	E	A	N	S	V	R	M	S	H	I	R	T
G	N	F	L	S	H	O	E	S	T	G	L	R

Solution is on page 92.

28
Things To Read

Almanac
Atlas
Booklet
Comic Book
Diary
Dictionary
Directions
Encyclopedia
Fairy Tale
Magazine
Menu
Mystery
Newspaper
Novel
Paperback
Program
Reader
Test
Workbook
Yearbook

C	O	M	I	C	B	O	O	K	T	Y	D	T
D	W	F	A	I	R	Y	T	A	L	E	S	T
I	O	M	B	O	O	K	L	E	T	E	H	M
C	R	D	K	H	L	Y	R	E	T	S	Y	M
T	K	O	O	B	R	A	E	Y	F	R	A	T
I	B	R	N	A	R	N	G	K	E	I	K	D
O	O	M	I	R	I	F	C	D	D	T	C	I
N	O	D	G	Z	H	A	A	E	P	R	M	R
A	K	H	A	A	B	E	P	T	R	R	E	E
R	T	G	Y	R	R	O	G	A	H	P	K	C
Y	A	Z	E	T	L	B	L	G	A	N	A	T
M	R	P	Q	C	J	N	F	P	L	N	M	I
R	A	H	Y	R	O	G	S	R	A	P	W	O
P	Y	C	Z	V	K	W	L	M	E	N	U	N
K	N	H	E	P	E	R	L	A	T	L	A	S
E	F	L	R	N	M	A	R	G	O	R	P	M

Solution is on page 93.

29
Time To Eat

Beans
Bread
Cereal
Cheese
Eggs
Fats
Fish
Fruit
Jam
Jelly
Meat
Milk
Nuts
Potato
Poultry
Rice
Soup
Spice
Sugar
Vegetable

P	R	T	B	C	P	M	N	W	N	U	T	S
C	E	R	E	A	L	P	R	C	D	A	D	P
B	R	E	A	D	N	T	R	P	E	G	L	I
T	Q	V	N	P	B	R	T	M	V	P	L	C
G	D	M	S	C	T	R	L	P	E	L	N	E
T	S	Y	N	J	W	K	G	R	G	Y	C	P
I	C	H	E	E	S	E	P	L	E	T	Q	R
U	V	M	N	L	Z	R	N	E	T	R	M	Y
R	M	X	L	L	N	R	T	G	A	W	W	K
F	Y	G	K	Y	S	H	M	G	B	G	D	C
O	A	R	C	R	R	Y	U	S	L	P	L	T
T	W	T	G	F	I	S	H	H	E	J	A	M
A	J	K	S	M	C	N	V	W	P	T	G	I
T	L	O	P	M	E	W	T	R	T	T	W	L
O	U	X	M	N	R	Z	T	L	H	M	N	K
P	O	U	L	T	R	Y	K	D	G	L	G	P

Solution is on page 94.

30
Herbs and Spices

Allspice
Anise
Cinnamon
Cloves
Curry
Dill
Ginger
Mace
Mint
Mustard
Nutmeg
Oregano
Paprika
Parsley
Pepper
Poppy Seed
Rosemary
Sage
Sesame Seed
Thyme

P	L	R	L	X	R	P	A	P	R	I	K	A
P	C	L	R	E	G	O	N	A	G	E	R	O
Z	I	Q	P	C	B	P	I	R	Y	W	Z	N
D	K	P	R	A	L	L	S	P	I	C	E	D
D	E	L	E	F	C	S	E	V	O	L	C	T
P	X	C	L	F	P	A	R	S	L	E	Y	G
G	A	N	G	I	N	G	E	R	R	D	M	D
M	C	I	N	N	A	M	O	N	D	N	E	G
U	I	D	G	X	Y	W	N	E	T	E	L	Y
S	D	N	G	H	M	N	E	D	S	C	R	B
T	R	T	T	K	L	S	B	E	M	A	N	G
A	C	U	R	R	Y	K	M	N	M	T	E	R
R	S	T	R	P	K	A	N	E	M	M	B	E
D	R	L	P	T	S	H	S	G	T	M	G	W
X	L	O	J	E	L	O	N	U	G	A	L	R
H	P	V	S	D	R	G	N	H	S	M	H	L

Solution is on page 95.

31
Way To Go!

Airplane
Ambulance
Bicycle
Boat
Bus
Carriage
Cart
Coach
Fire Engine
Hot Rod
Jalopy
Motorcycle
Rickshaw
Stagecoach
Taxi
Train
Trolley
Truck
Van
Wagon

D	V	B	L	P	N	W	Z	G	S	T	G	F
S	T	A	G	E	C	O	A	C	H	R	P	I
N	R	T	N	Z	V	B	Y	G	Y	A	K	R
C	A	R	R	I	A	G	E	L	O	I	M	E
A	C	N	B	R	T	L	H	T	L	N	M	E
M	O	T	O	R	C	Y	C	L	E	P	H	N
K	A	T	A	M	N	D	R	G	C	D	T	G
T	C	C	T	X	K	Q	R	T	N	M	R	I
M	H	D	V	R	I	C	K	S	H	A	W	N
N	O	M	X	R	O	L	Z	P	N	M	B	E
T	T	A	I	R	P	L	A	N	E	W	R	T
R	R	H	D	T	J	A	L	O	P	Y	C	G
N	O	T	N	R	T	Z	A	E	R	M	N	C
D	D	L	S	T	S	B	I	C	Y	C	L	E
Q	P	T	R	U	C	K	N	C	B	P	D	N
M	A	M	B	U	L	A	N	C	E	X	D	V

Solution is on page 96.

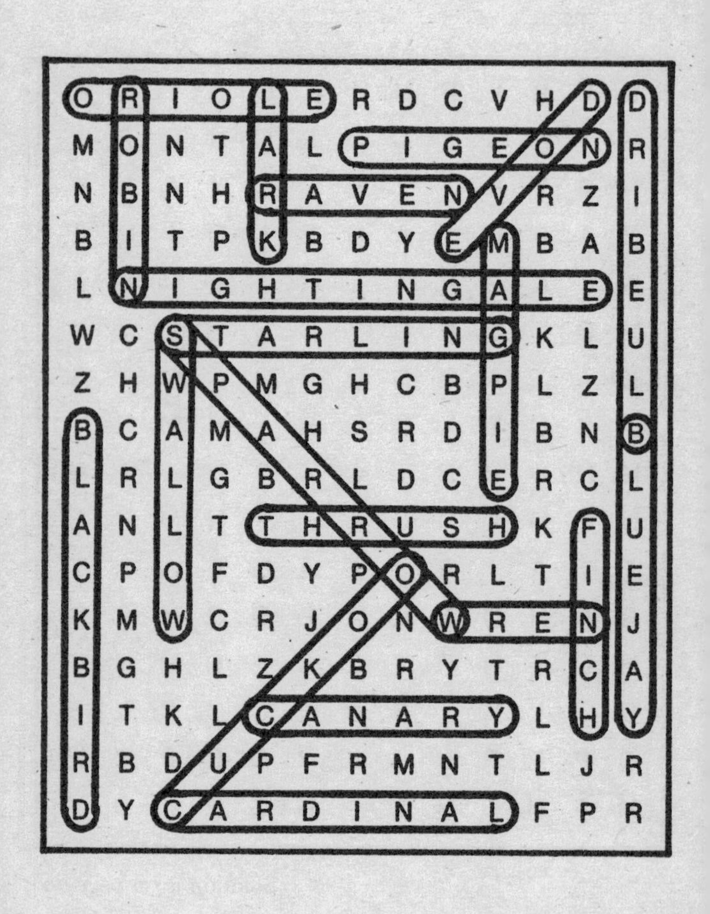
O R I O L E R D C V H D D
M O N T A L P I G E O N R
N B N H R A V E N V R Z I
B I T P K B D Y E M B A B
L N I G H T I N G A L E E
W C S T A R L I N G K L U
Z H W P M G H C B P L Z L
B C A M A H S R D I B N B
L R L G B R L D C E R C L
A N L T T H R U S H K F U
C P O F D Y P O R L T I E
K M W C R J O N W R E N J
B G H L Z K B R Y T R C A
I T K L C A N A R Y L H Y
R B D U P F R M N T L J R
D Y C A R D I N A L F P R

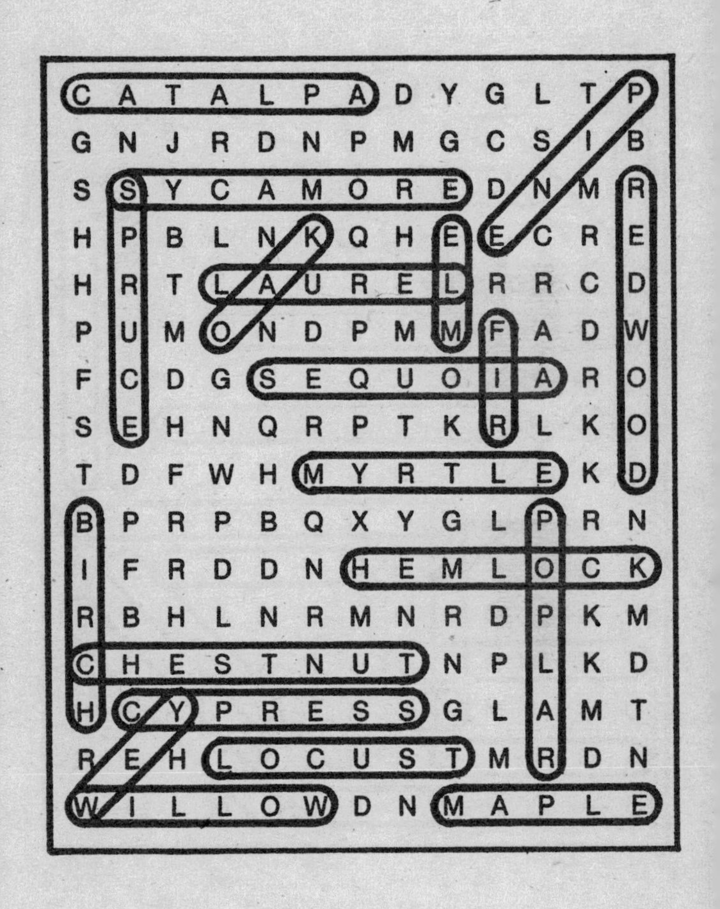
C A T A L P A D Y G L T P
G N J R D N P M G C S I B
S S Y C A M O R E D N M R
H P B L N K Q H E E C R E
H R T L A U R E L R R C D
P U M O N D P M M F A D W
F C D G S E Q U O I A R O
S E H N Q R P T K R L K O
T D F W H M Y R T L E K D
B P R P B Q X Y G L P R N
I F R D D N H E M L O C K
R B H L N R M N R D P K M
C H E S T N U T N P L K D
H C Y P R E S S G L A M T
R E H L O C U S T M R D N
W I L L O W D N M A P L E

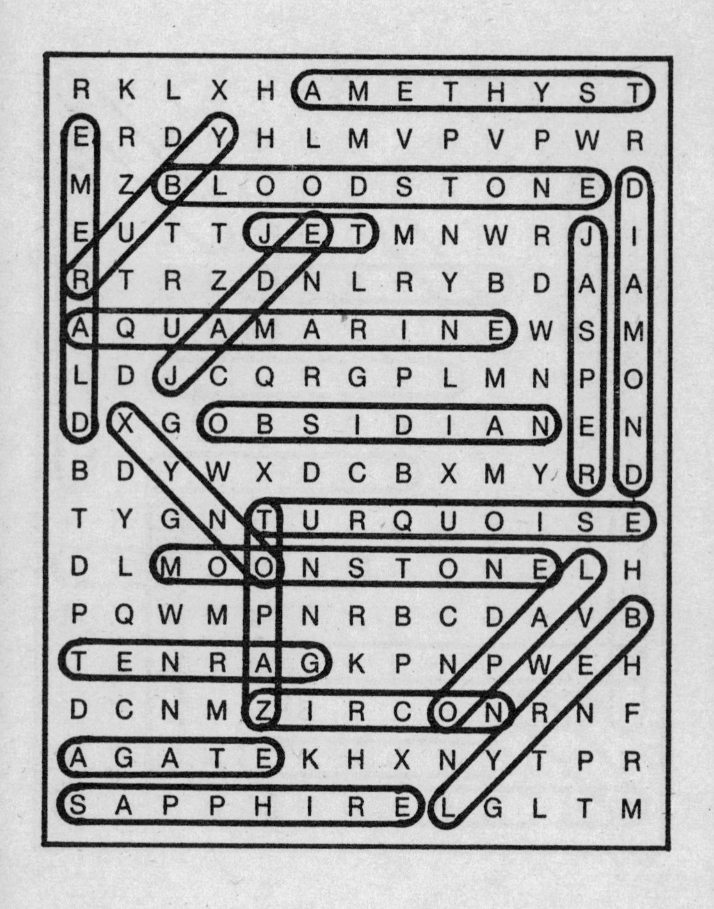
R K L X H A M E T H Y S T
E R D Y H L M V P V P W R
M Z B L O O D S T O N E D
E U T T J E T M N W R J I
R T R Z D N L R Y B D A A
A Q U A M A R I N E W S M
L D J C Q R G P L M N P O
D X G O B S I D I A N E N
B D Y W X D C B X M Y R D
T Y G N T U R Q U O I S E
D L M O O N S T O N E L H
P Q W M P N R B C D A V B
T E N R A G K P N P W E H
D C N M Z I R C O N R N F
A G A T E K H X N Y T P R
S A P P H I R E L G L T M

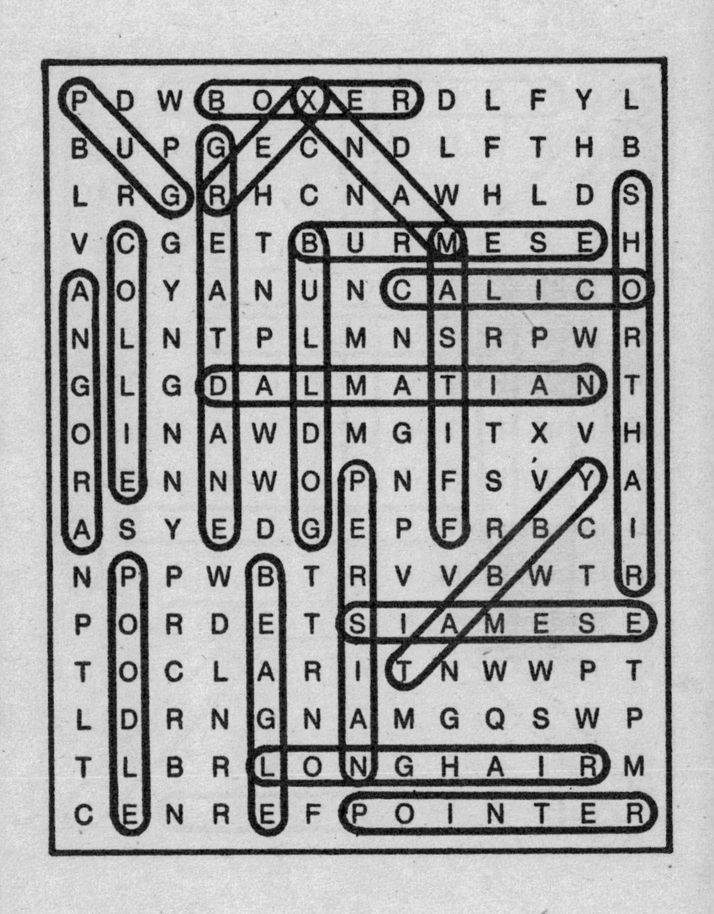
P D W B O X E R D L F Y L
B U P G E C N D L F T H B
L R G R H C N A W H L D S
V C G E T B U R M E S E H
A O Y A N U N C A L I C O
N L N T P L M N S R P W R
G L G D A L M A T I A N T
O I N A W D M G I T X V H
R E N N W O P N F S V Y A
A S Y E D G E P F R B C I
N P P W B T R V V B W T R
P O R D E T S I A M E S E
T O C L A R I T N W W P T
L D R N G N A M G Q S W P
T L B R L O N G H A I R M
C E N R E F P O I N T E R

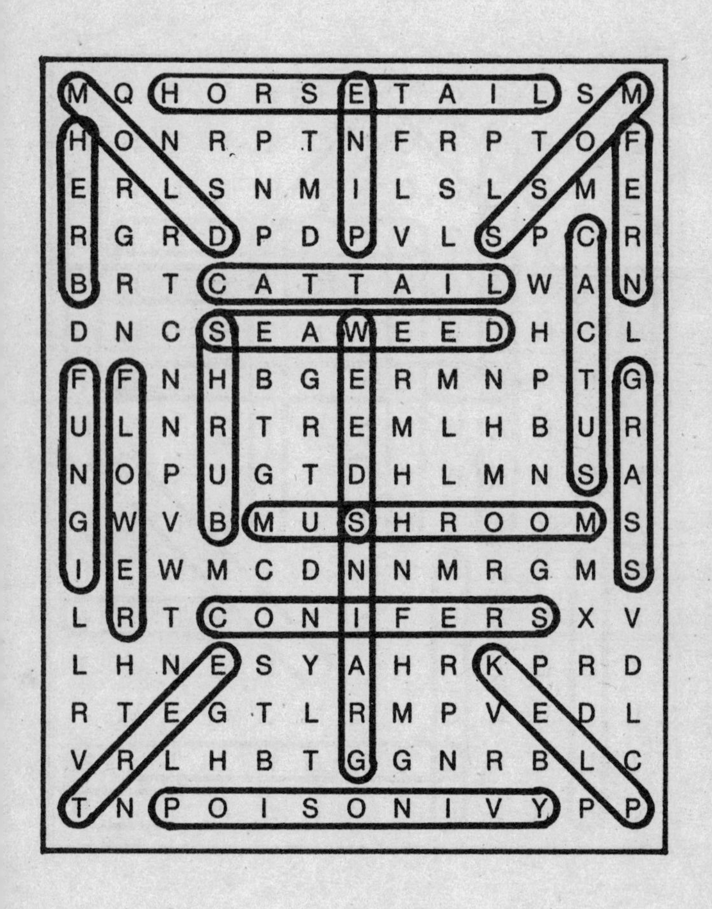
M Q H O R S E T A I L S M
H O N R P T N F R P T O F
E R L S N M I L S L S M E
R G R D P D P V L S P C R
B R T C A T T A I L W A N
D N C S E A W E E D H C L
F F N H B G E R M N P T G
U L N R T R E M L H B U R
N O P U G T D H L M N S A
G W V B M U S H R O O M S
I E W M C D N N M R G M S
L R T C O N I F E R S X V
L H N E S Y A H R K P R D
R T E G T L R M P V E D L
V R L H B T G G N R B L C
T N P O I S O N I V Y P P

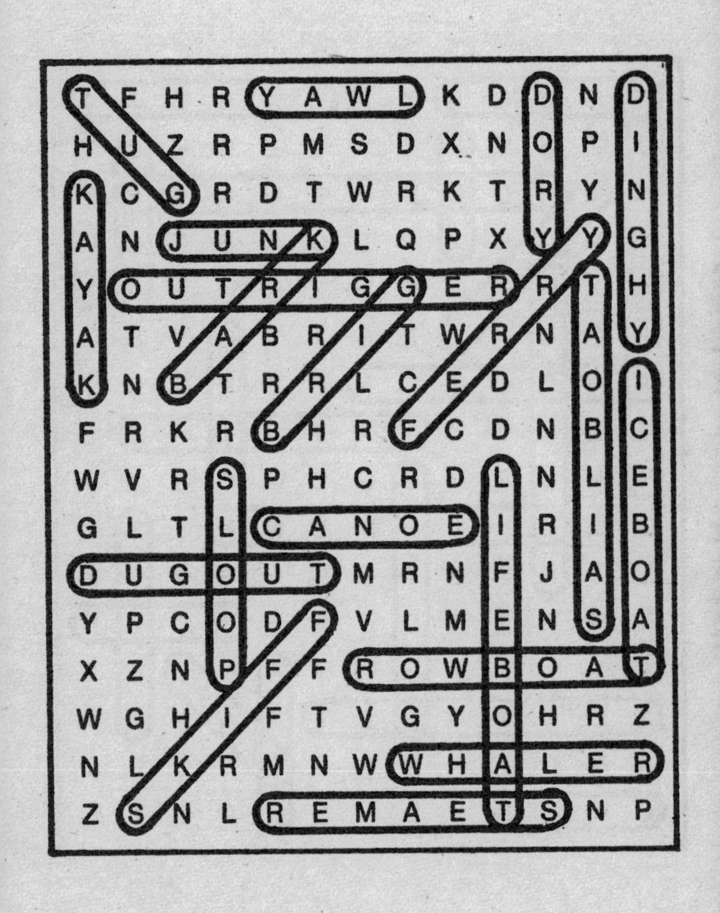
T F H R Y A W L K D D N D
H U Z R P M S D X N O P I
K C G R D T W R K T R Y N
A N J U N K L Q P X Y Y G
Y O U T R I G G E R R T H
A T V A B R I T W R N A Y
K N B T R R L C E D L O I
F R K R B H R F C D N B C
W V R S P H C R D L N L E
G L T L C A N O E I R I B
D U G O U T M R N F J A O
Y P C O D F V L M E N S A
X Z N P F F R O W B O A T
W G H I F T V G Y O H R Z
N L K R M N W W H A L E R
Z S N L R E M A E T S N P

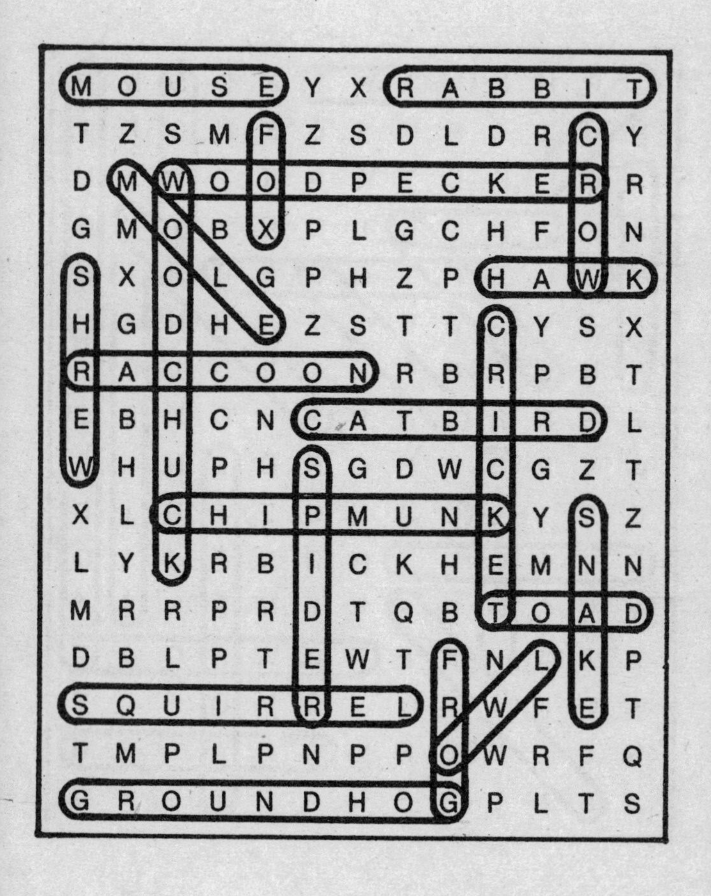
M O U S E Y X R A B B I T
T Z S M F Z S D L D R C Y
D M W O O D P E C K E R R
G M O B X P L G C H F O N
S X O L G P H Z P H A W K
H G D H E Z S T T C Y S X
R A C C O O N R B R P B T
E B H C N C A T B I R D L
W H U P H S G D W C G Z T
X L C H I P M U N K Y S Z
L Y K R B I C K H E M N N
M R R P R D T Q B T O A D
D B L P T E W T F N L K P
S Q U I R R E L R W F E T
T M P L P N P P O W R F Q
G R O U N D H O G P L T S

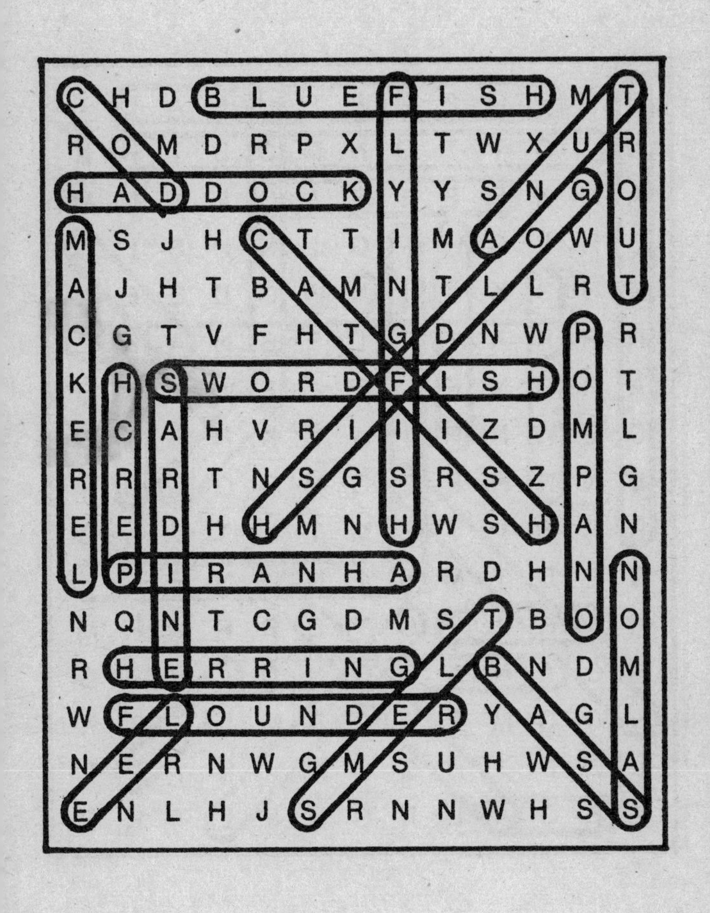
C H D B L U E F I S H M T
R O M D R P X L T W X U R
H A D D O C K Y Y S N G O
M S J H C T T I M A O W U
A J H T B A M N T L L R T
C G T V F H T G D N W P R
K H S W O R D F I S H O T
E C A H V R I I I Z D M L
R R R T N S G S R S Z P G
E E D H H M N H W S H A N
L P I R A N H A R D H N N
N Q N T C G D M S T B O O
R H E R R I N G L B N D M
W F L O U N D E R Y A G L
N E R N W G M S U H W S A
E N L H J S R N N W H S S

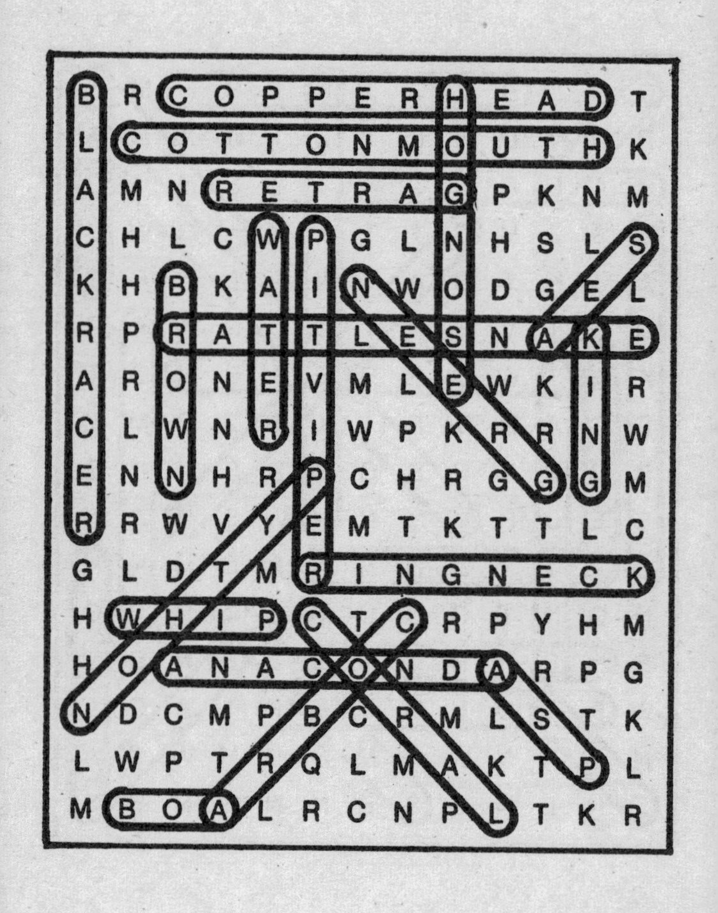

B R C O P P E R H E A D T
L C O T T O N M O U T H K
A M N R E T R A G P K N M
C H L C W P G L N H S L S
K H B K A I N W O D G E L
R P R A T T L E S N A K E
A R O N E V M L E W K I R
C L W N R I W P K R R N W
E N N H R P C H R G G G M
R R W V Y E M T K T T L C
G L D T M R I N G N E C K
H W H I P C T C R P Y H M
H O A N A C O N D A R P G
N D C M P B C R M L S T K
L W P T R Q L M A K T P L
M B O A L R C N P L T K R

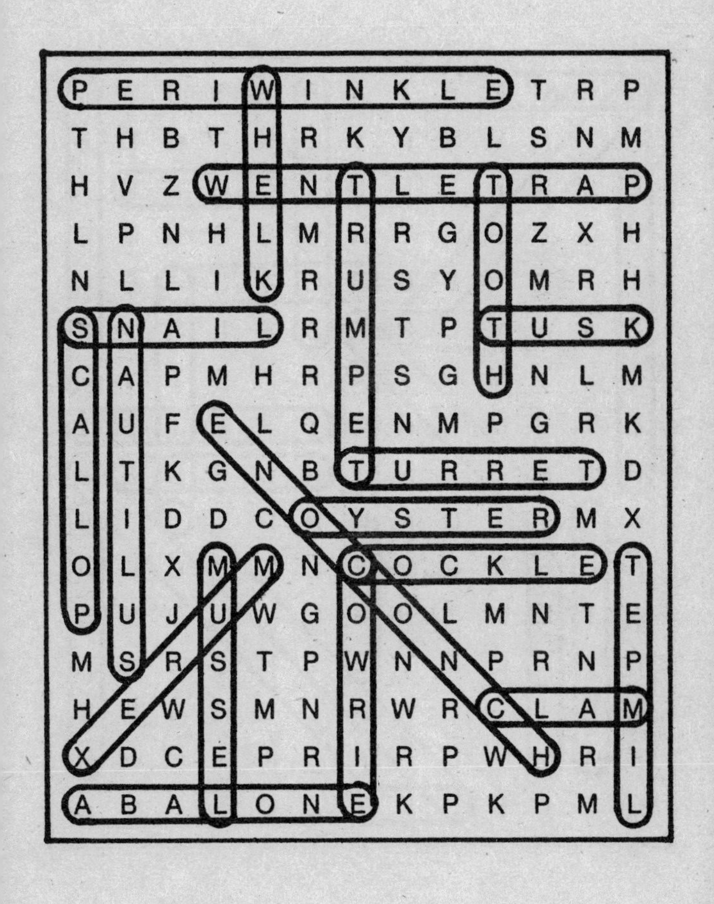

P E R I W I N K L E T R P
T H B T H R K Y B L S N M
H V Z W E N T L E T R A P
L P N H L M R R G O Z X H
N L L I K R U S Y O M R H
S N A I L R M T P T U S K
C A P M H R P S G H N L M
A U F E L Q E N M P G R K
L T K G N B T U R R E T D
L I D D C O Y S T E R M X
O L X M M N C O C K L E T
P U J U W G O O L M N T E
M S R S T P W N N P R N P
H E W S M N R W R C L A M
X D C E P R I R P W H R I
A B A L O N E K P K P M L

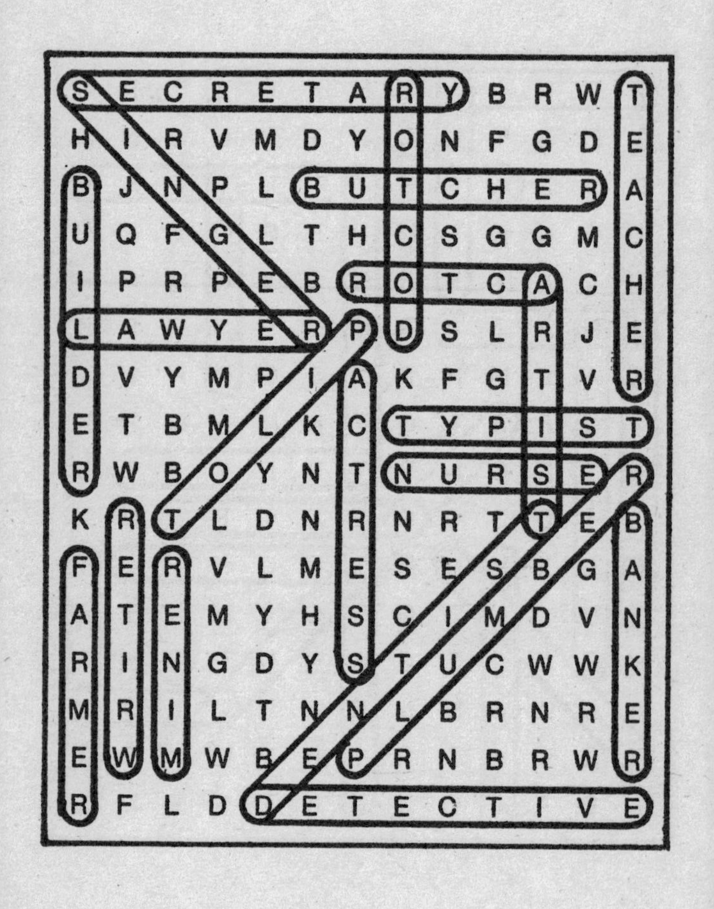

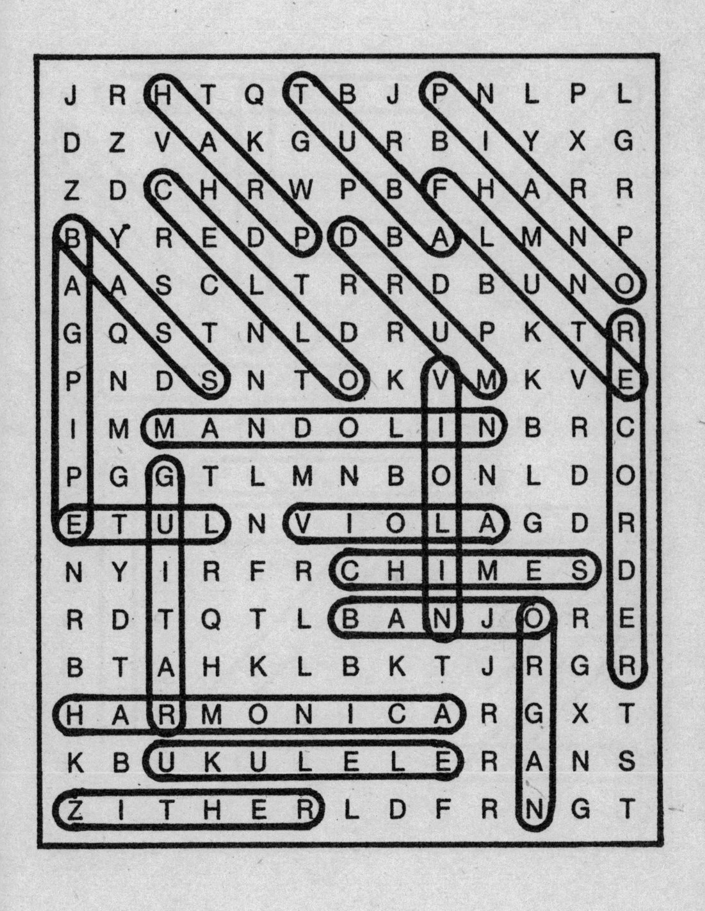
J R H T Q T B J P N L P L
D Z V A K G U R B I Y X G
Z D C H R W P B F H A R R
B Y R E D P D B A L M N P
A A S C L T R R D B U N O
G Q S T N L D R U P K T R
P N D S N T O K V M K V E
I M M A N D O L I N B R C
P G G T L M N B O N L D O
E T U L N V I O L A G D R
N Y I R F R C H I M E S D
R D T Q T L B A N J O R E
B T A H K L B K T J R G R
H A R M O N I C A R G X T
K B U K U L E L E R A N S
Z I T H E R L D F R N G T

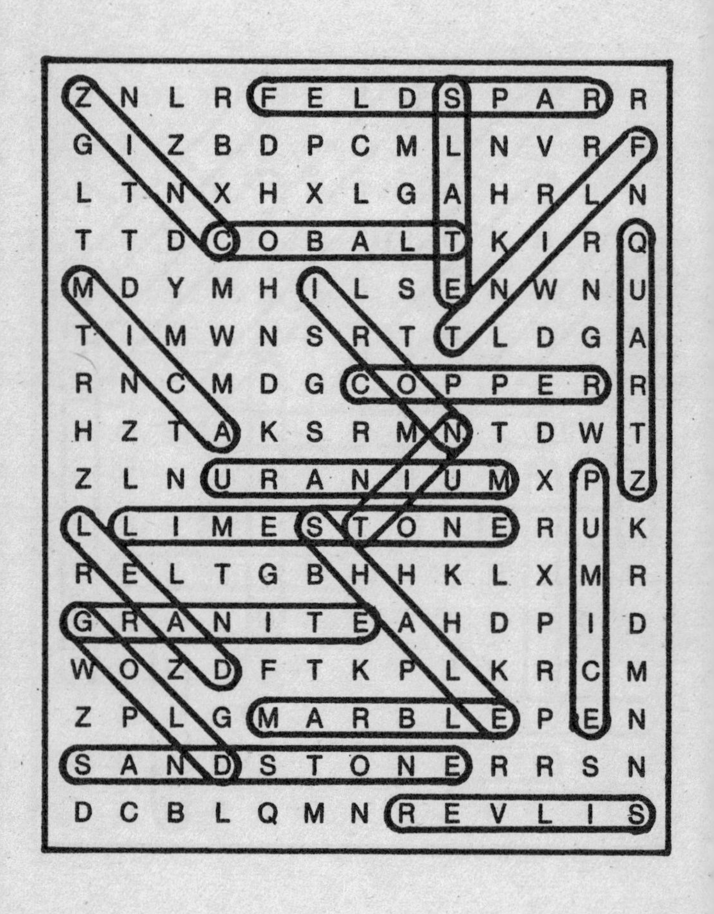
Z N L R F E L D S P A R R
G I Z B D P C M L N V R F
L T N X H X L G A H R L N
T T D C O B A L T K I R Q
M D Y M H I L S E N W N U
T I M W N S R T T L D G A
R N C M D G C O P P E R R
H Z T A K S R M N T D W T
Z L N U R A N I U M X P Z
L L I M E S T O N E R U K
R E L T G B H H K L X M R
G R A N I T E A H D P I D
W O Z D F T K P L K R C M
Z P L G M A R B L E P E N
S A N D S T O N E R R S N
D C B L Q M N R E V L I S

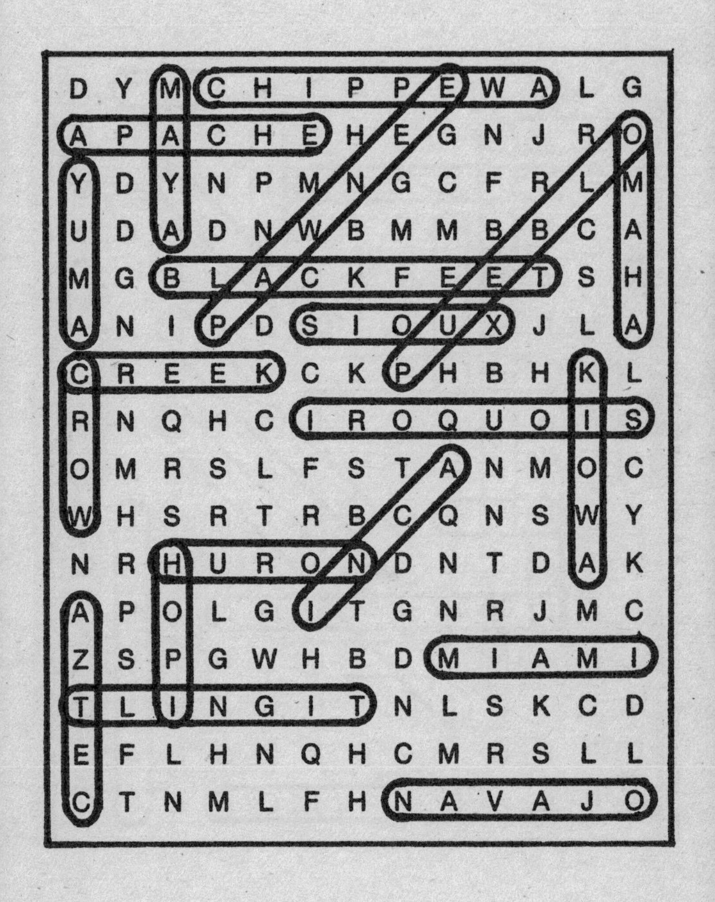
D Y M C H I P P E W A L G
A P A C H E H E G N J R O
Y D Y N P M N G C F R L M
U D A D N W B M M B B C A
M G B L A C K F E E T S H
A N I P D S I O U X J L A
C R E E K C K P H B H K L
R N Q H C I R O Q U O I S
O M R S L F S T A N M O C
W H S R T R B C Q N S W Y
N R H U R O N D N T D A K
A P O L G I T G N R J M C
Z S P G W H B D M I A M I
T L I N G I T N L S K C D
E F L H N Q H C M R S L L
C T N M L F H N A V A J O

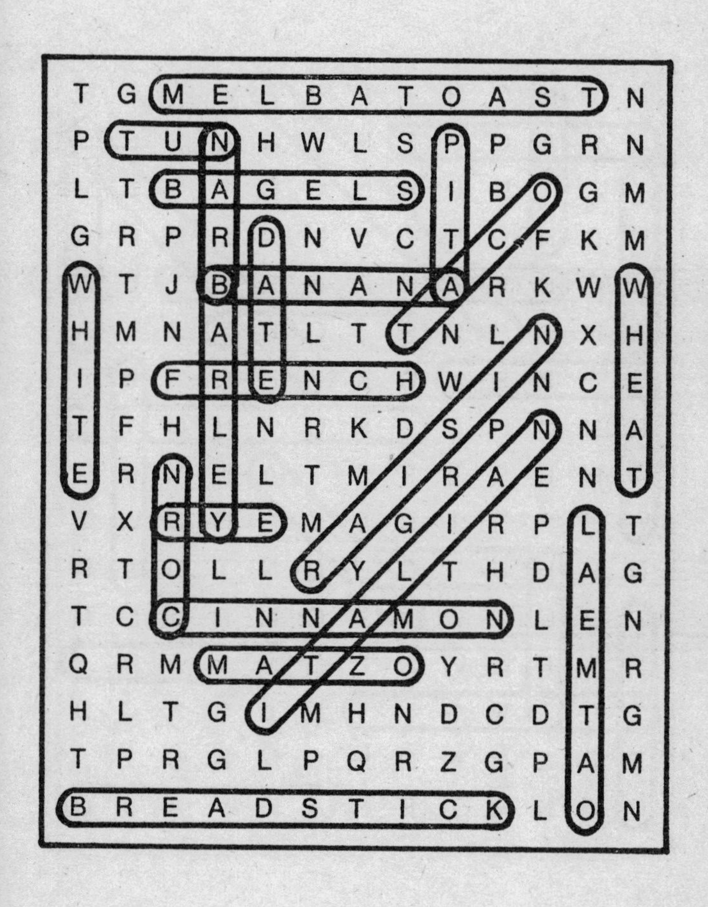

T G M E L B A T O A S T N
P T U N H W L S P P G R N
L T B A G E L S I B O G M
G R P R D N V C T C F K M
W T J B A N A N A R K W W
H M N A T L T T N L N X H
I P F R E N C H W I N C E
T F H L N R K D S P N N A
E R N E L T M I R A E N T
V X R Y E M A G I R P L T
R T O L L R Y L T H D A G
T C C I N N A M O N L E N
Q R M M A T Z O Y R T M R
H L T G I M H N D C D T G
T P R G L P Q R Z G P A M
B R E A D S T I C K L O N

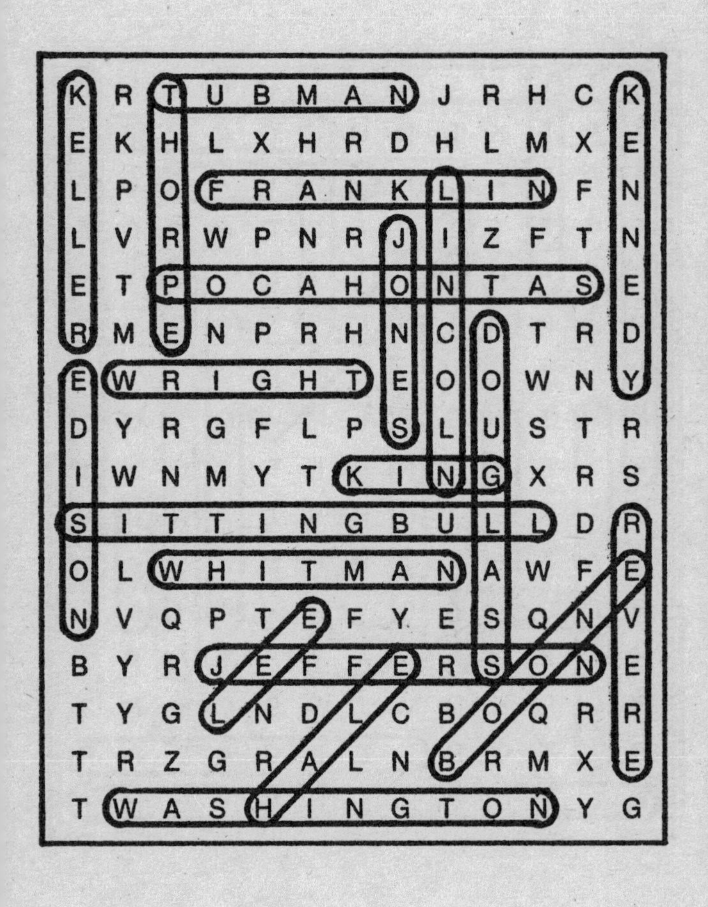
K R T U B M A N J R H C K
E K H L X H R D H L M X E
L P O F R A N K L I N F N
L V R W P N R J I Z F T N
E T P O C A H O N T A S E
R M E N P R H N C D T R D
E W R I G H T E O O W N Y
D Y R G F L P S L U S T R
I W N M Y T K I N G X R S
S I T T I N G B U L L D R
O L W H I T M A N A W F E
N V Q P T E F Y E S Q N V
B Y R J E F F E R S O N E
T Y G L N D L C B O Q R R
T R Z G R A L N B R M X E
T W A S H I N G T O N Y G

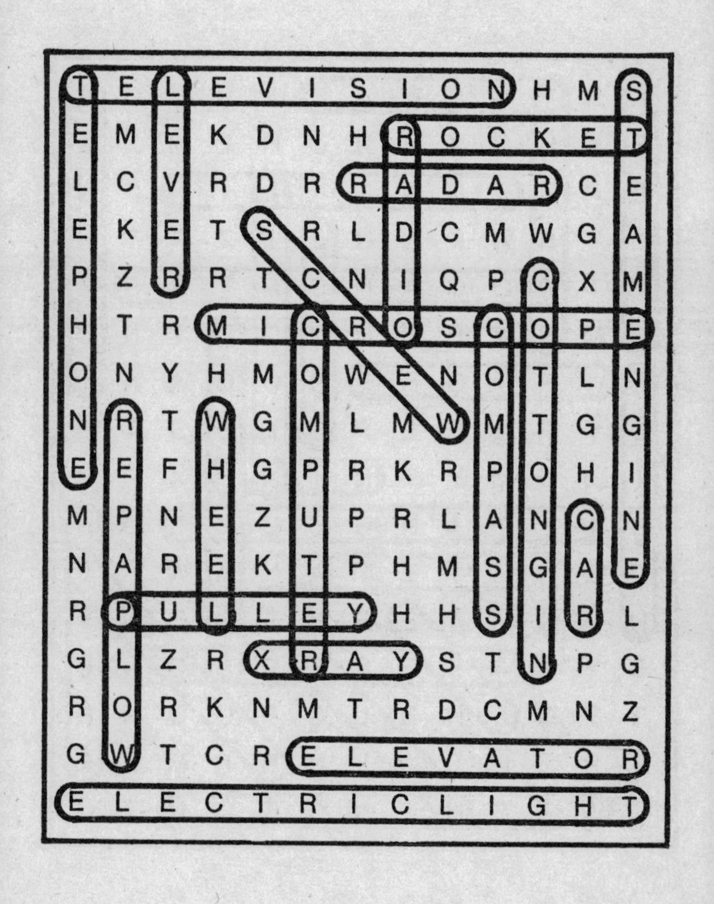
T E L E V I S I O N H M S
E M E K D N H R O C K E T
L C V R D R R A D A R C E
E K E T S R L D C M W G A
P Z R R T C N I Q P C X M
H T R M I C R O S C O P E
O N Y H M O W E N O T L N
N R T W G M L M W M T G G
E E F H G P R K R P O H I
M P N E Z U P R L A N C N
N A R E K T P H M S G A E
R P U L L E Y H H S I R L
G L Z R X R A Y S T N P G
R O R K N M T R D C M N Z
G W T C R E L E V A T O R
E L E C T R I C L I G H T

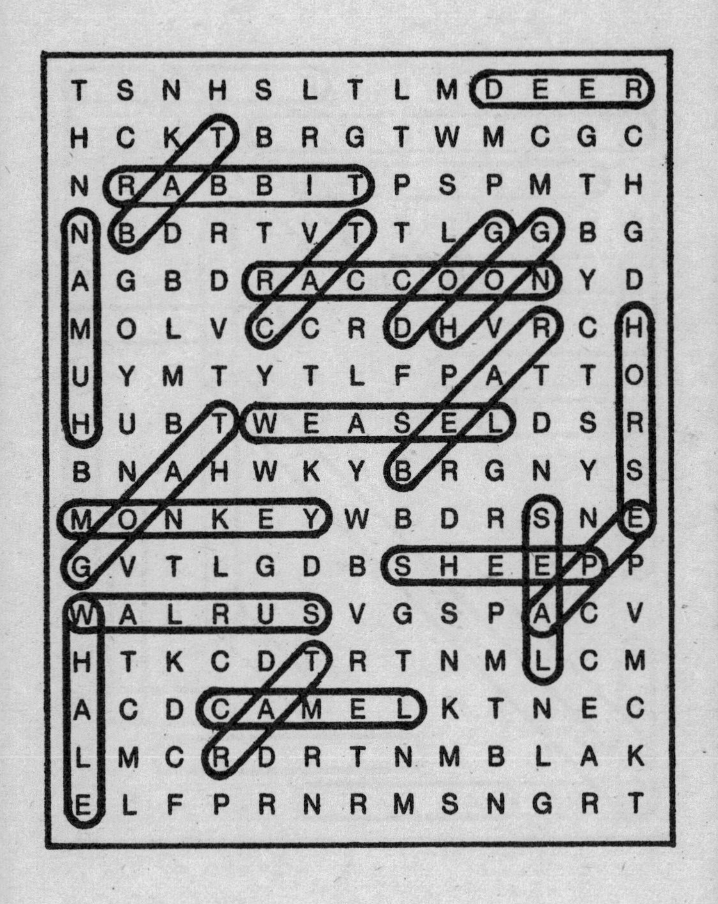

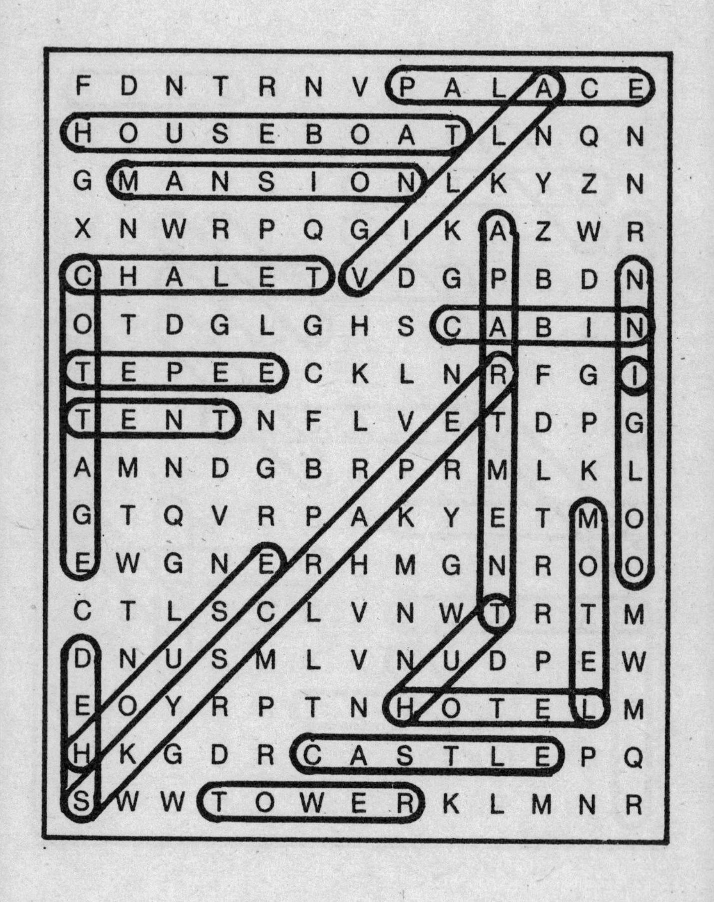
F D N T R N V P A L A C E
H O U S E B O A T L N Q N
G M A N S I O N L K Y Z N
X N W R P Q G I K A Z W R
C H A L E T V D G P B D N
O T D G L G H S C A B I N
T E P E E C K L N R F G I
T E N T N F L V E T D P G
A M N D G B R P R M L K L
G T Q V R P A K Y E T M O
E W G N E R H M G N R O O
C T L S C L V N W T R T M
D N U S M L V N U D P E W
E O Y R P T N H O T E L M
H K G D R C A S T L E P Q
S W W T O W E R K L M N R

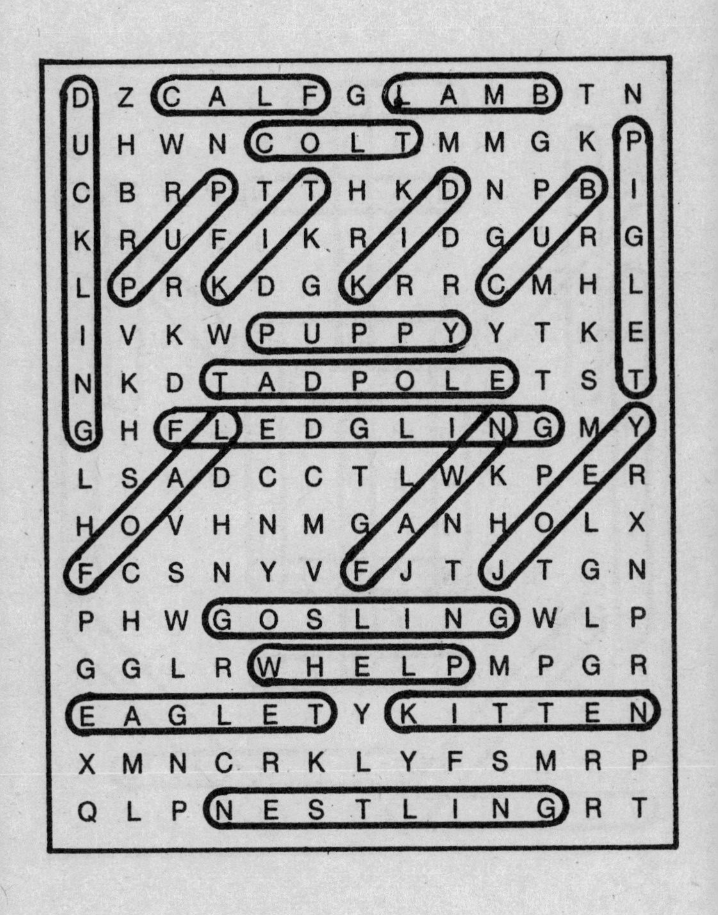
D Z C A L F G L A M B T N
U H W N C O L T M M G K P
C B R P T T H K D N P B I
K R U F I K R I D G U R G
L P R K D G K R R C M H L
I V K W P U P P Y Y T K E
N K D T A D P O L E T S T
G H F L E D G L I N G M Y
L S A D C C T L W K P E R
H O V H N M G A N H O L X
F C S N Y V F J T J T G N
P H W G O S L I N G W L P
G G L R W H E L P M P G R
E A G L E T Y K I T T E N
X M N C R K L Y F S M R P
Q L P N E S T L I N G R T

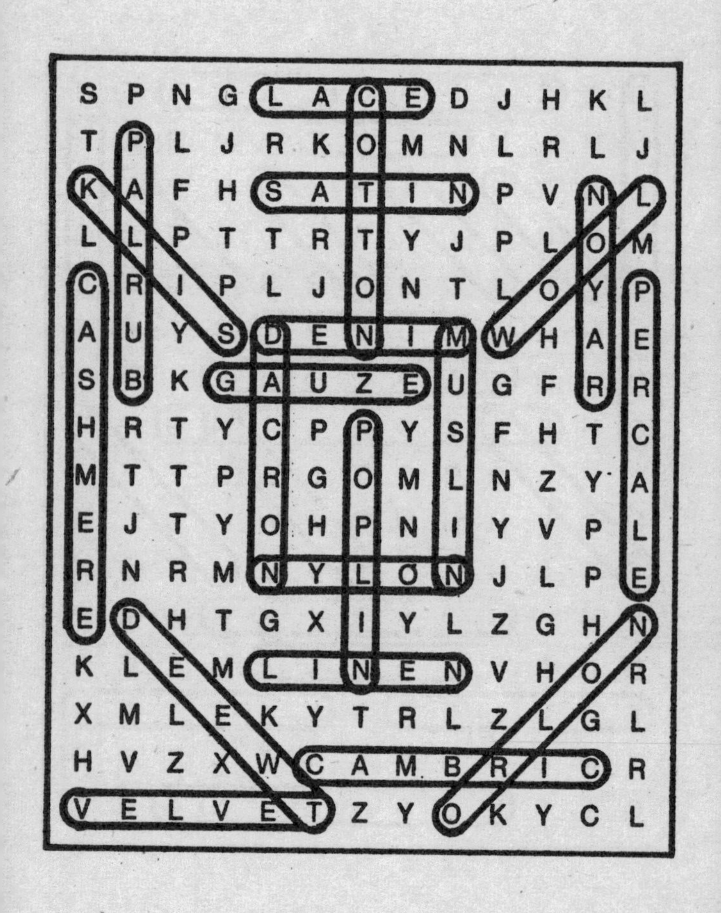
S P N G L A C E D J H K L
T P L J R K O M N L R L J
K A F H S A T I N P V N L
L L P T T R T Y J P L O M
C R I P L J O N T L O Y P
A U Y S D E N I M W H A E
S B K G A U Z E U G F R R
H R T Y C P P Y S F H T C
M T T P R G O M L N Z Y A
E J T Y O H P N I Y V P L
R N R M N Y L O N J L P E
E D H T G X I Y L Z G H N
K L E M L I N E N V H O R
X M L E K Y T R L Z L G L
H V Z X W C A M B R I C R
V E L V E T Z Y O K Y C L

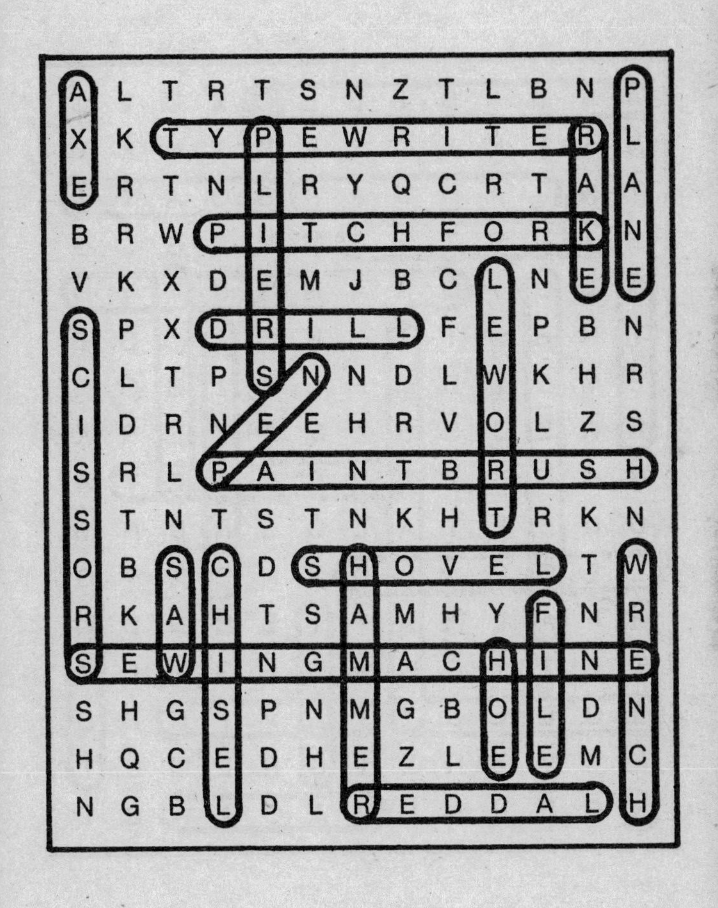
A L T R T S N Z T L B N P
X K T Y P E W R I T E R L
E R T N L R Y Q C R T A A
B R W P I T C H F O R K N
V K X D E M J B C L N E E
S P X D R I L L F E P B N
C L T P S N N D L W K H R
I D R N E E H R V O L Z S
S R L P A I N T B R U S H
S T N T S T N K H T R K N
O B S C D S H O V E L T W
R K A H T S A M H Y F N R
S E W I N G M A C H I N E
S H G S P N M G B O L D N
H Q C E D H E Z L E E M C
N G B L D L R E D D A L H

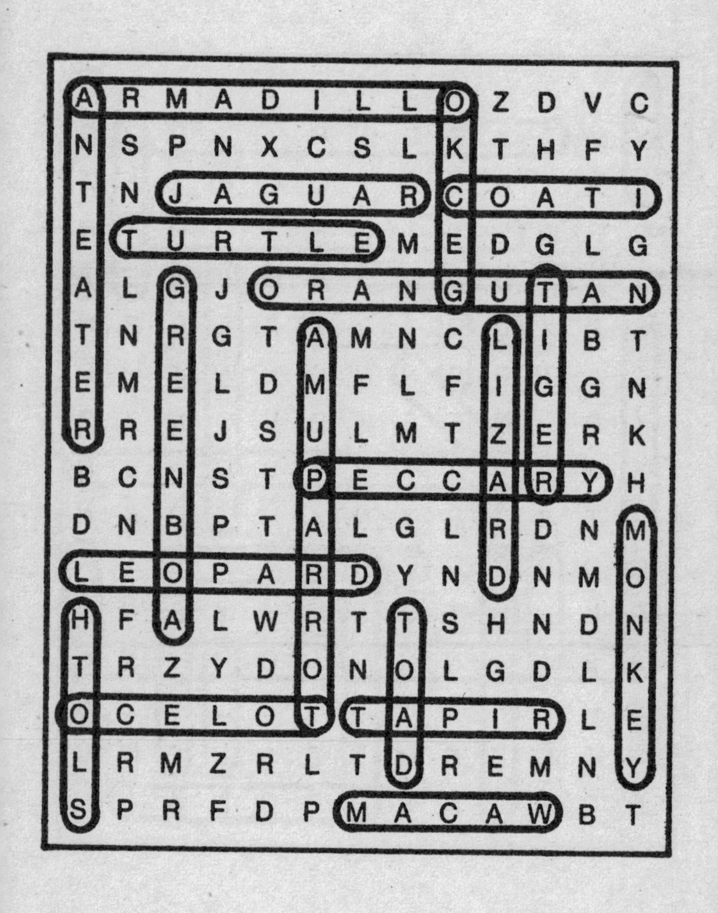
A R M A D I L L O Z D V C
N S P N X C S L K T H F Y
T N J A G U A R C O A T I
E T U R T L E M E D G L G
A L G J O R A N G U T A N
T N R G T A M N C L I B T
E M E L D M F L F I G G N
R R E J S U L M T Z E R K
B C N S T P E C C A R Y H
D N B P T A L G L R D N M
L E O P A R D Y N D N M O
H F A L W R T T S H N D N
T R Z Y D O N O L G D L K
O C E L O T T A P I R L E
L R M Z R L T D R E M N Y
S P R F D P M A C A W B T

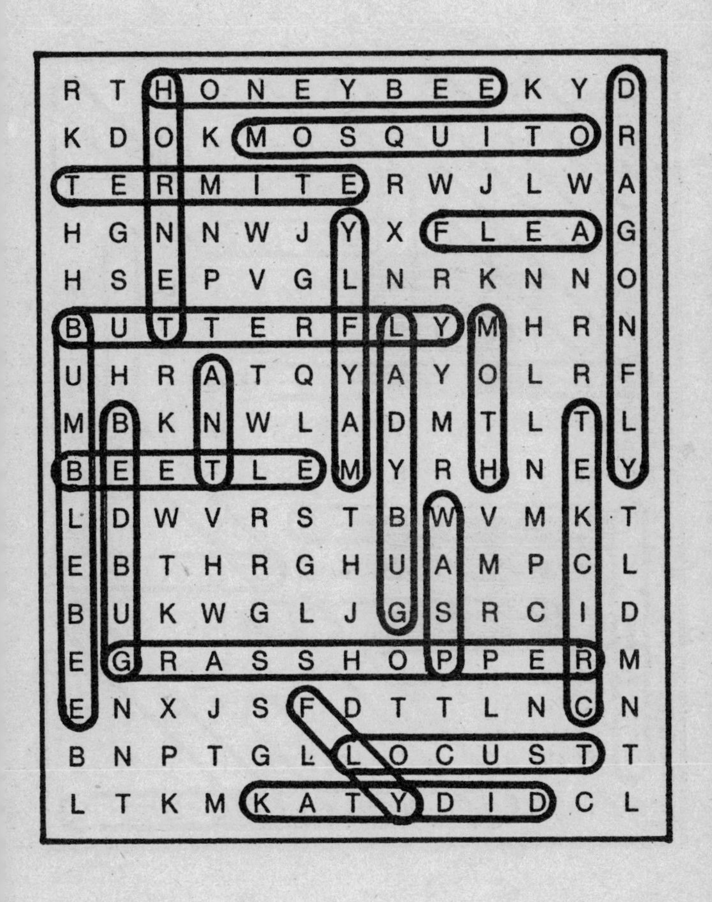

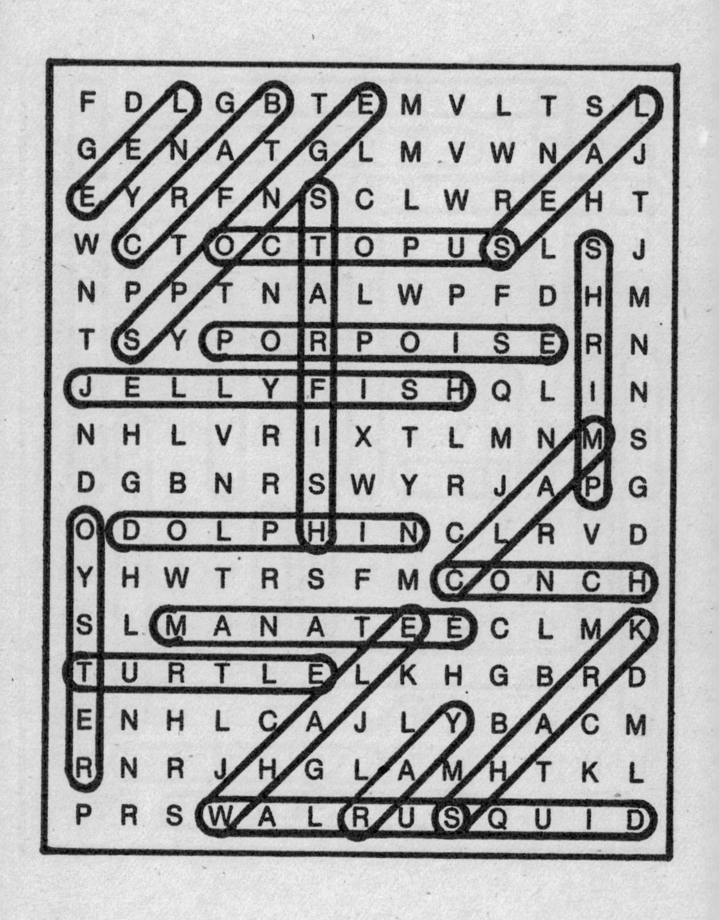
F D L G B T E M V L T S L
G E N A T G L M V W N A J
E Y R F N S C L W R E H T
W C T O C T O P U S L S J
N P P T N A L W P F D H M
T S Y P O R P O I S E R N
J E L L Y F I S H Q L I N
N H L V R I X T L M N M S
D G B N R S W Y R J A P G
O D O L P H I N C L R V D
Y H W T R S F M C O N C H
S L M A N A T E E C L M K
T U R T L E L K H G B R D
E N H L C A J L Y B A C M
R N R J H G L A M H T K L
P R S W A L R U S Q U I D

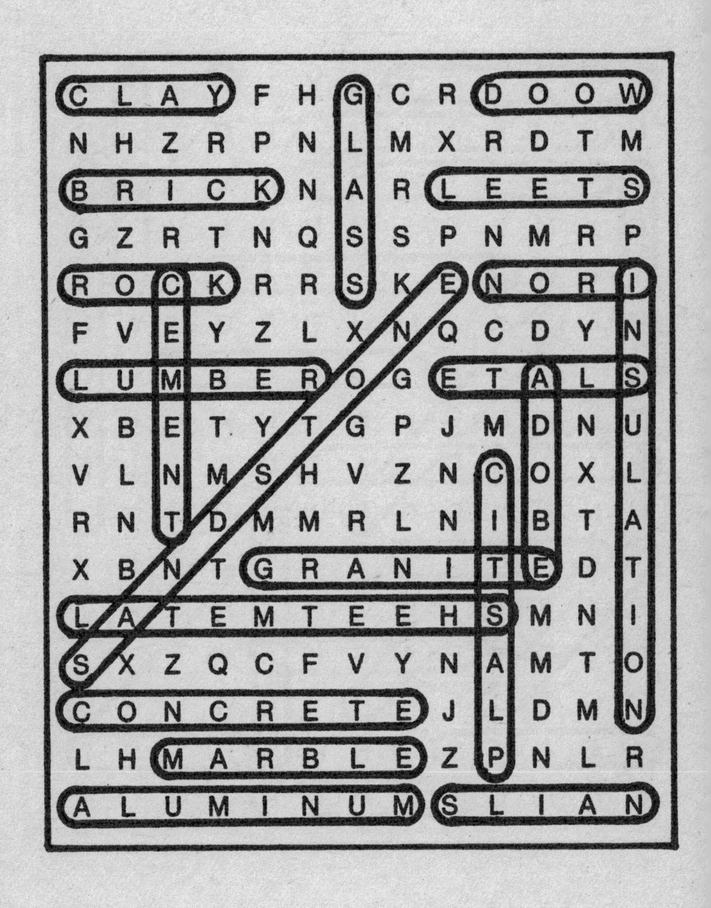
C L A Y F H G C R D O O W
N H Z R P N L M X R D T M
B R I C K N A R L E E T S
G Z R T N Q S S P N M R P
R O C K R R S K E N O R I
F V E Y Z L X N Q C D Y N
L U M B E R O G E T A L S
X B E T Y T G P J M D N U
V L N M S H V Z N C O X L
R N T D M M R L N I B T A
X B N T G R A N I T E D T
L A T E M T E E H S M N I
S X Z Q C F V Y N A M T O
C O N C R E T E J L D M N
L H M A R B L E Z P N L R
A L U M I N U M S L I A N

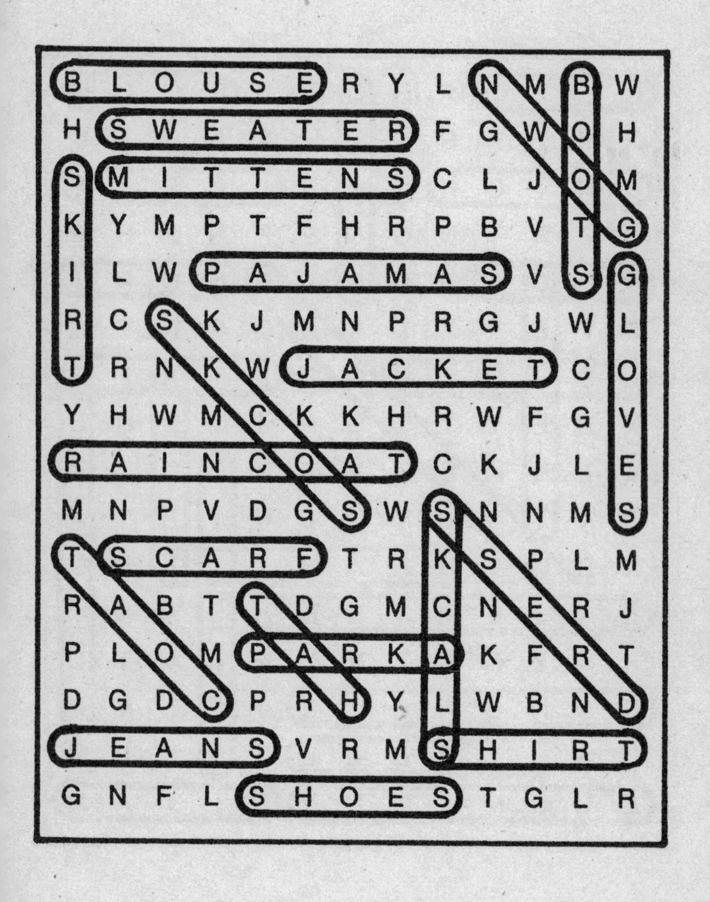
B L O U S E R Y L N M B W
H S W E A T E R F G W O H
S M I T T E N S C L J O M
K Y M P T F H R P B V T G
I L W P A J A M A S V S G
R C S K J M N P R G J W L
T R N K W J A C K E T C O
Y H W M C K K H R W F G V
R A I N C O A T C K J L E
M N P V D G S W S N N M S
T S C A R F T R K S P L M
R A B T T D G M C N E R J
P L O M P A R K A K F R T
D G D C P R H Y L W B N D
J E A N S V R M S H I R T
G N F L S H O E S T G L R

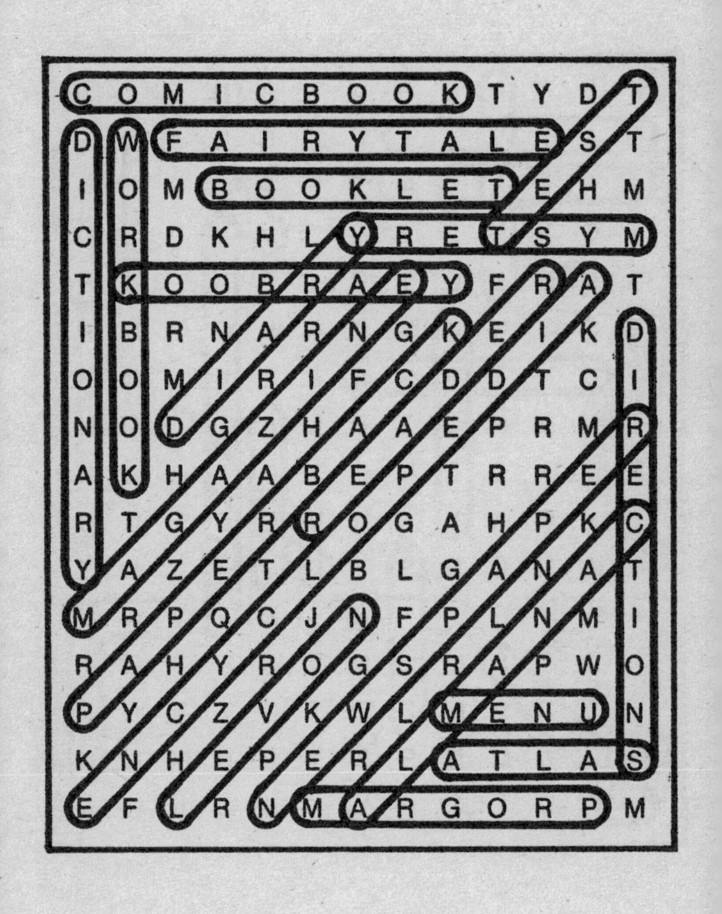
C O M I C B O O K T Y D T
D W F A I R Y T A L E S T
I O M B O O K L E T E H M
C R D K H L Y R E T S Y M
T K O O B R A E Y F R A T
I B R N A R N G K E I K D
O O M I R I F C D D T C I
N O D G Z H A A E P R M R
A K H A A B E P T R R E E
R T G Y R R O G A H P K C
Y A Z E T L B L G A N A T
M R P Q C J N F P L N M I
R A H Y R O G S R A P W O
P Y C Z V K W L M E N U N
K N H E P E R L A T L A S
E F L R N M A R G O R P M

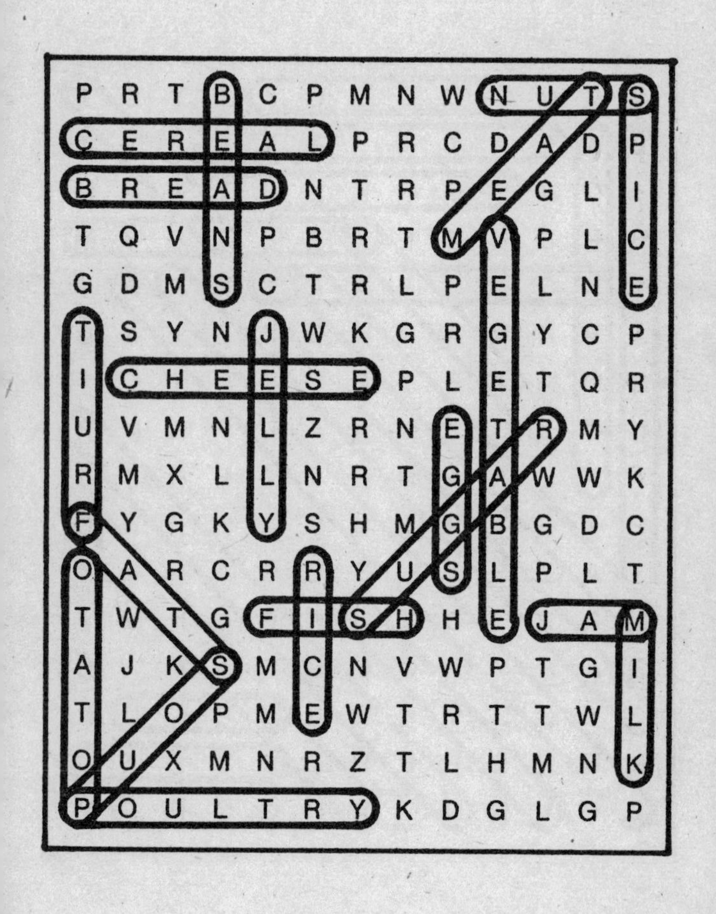
P R T B C P M N W N U T S
C E R E A L P R C D A D P
B R E A D N T R P E G L I
T Q V N P B R T M V P L C
G D M S C T R L P E L N E
T S Y N J W K G R G Y C P
I C H E E S E P L E T Q R
U V M N L Z R N E T R M Y
R M X L L N R T G A W W K
F Y G K Y S H M G B G D C
O A R C R R Y U S L P L T
T W T G F I S H H E J A M
A J K S M C N V W P T G I
T L O P M E W T R T T W L
O U X M N R Z T L H M N K
P O U L T R Y K D G L G P

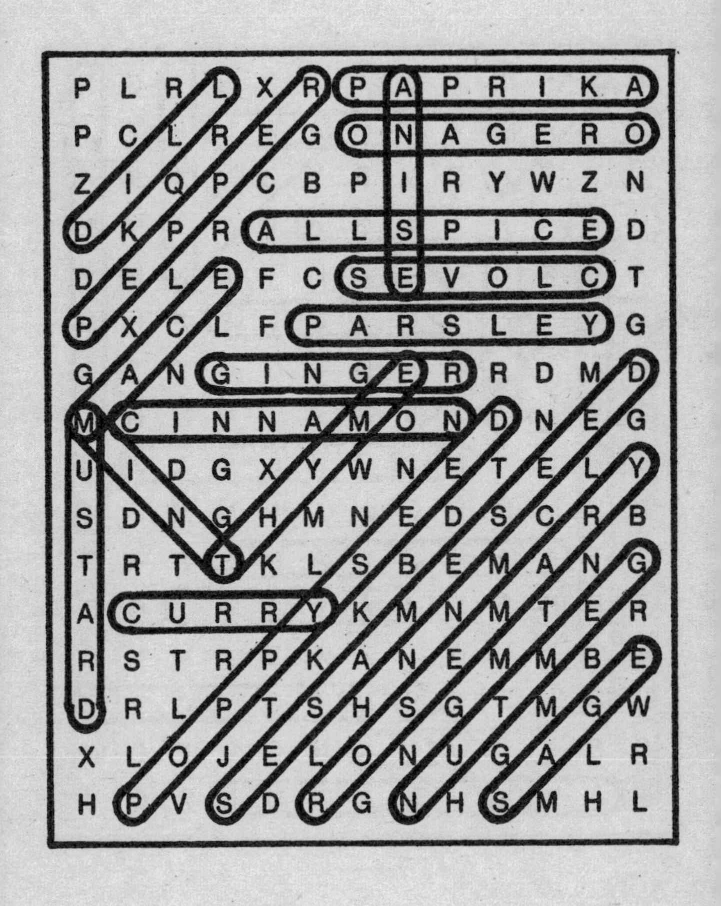

P L R L X R P A P R I K A
P C L R E G O N A G E R O
Z I Q P C B P I R Y W Z N
D K P R A L L S P I C E D
D E L E F C S E V O L C T
P X C L F P A R S L E Y G
G A N G I N G E R R D M D
M C I N N A M O N D N E G
U I D G X Y W N E T E L Y
S D N G H M N E D S C R B
T R T T K L S B E M A N G
A C U R R Y K M N M T E R
R S T R P K A N E M M B E
D R L P T S H S G T M G W
X L O J E L O N U G A L R
H P V S D R G N H S M H L

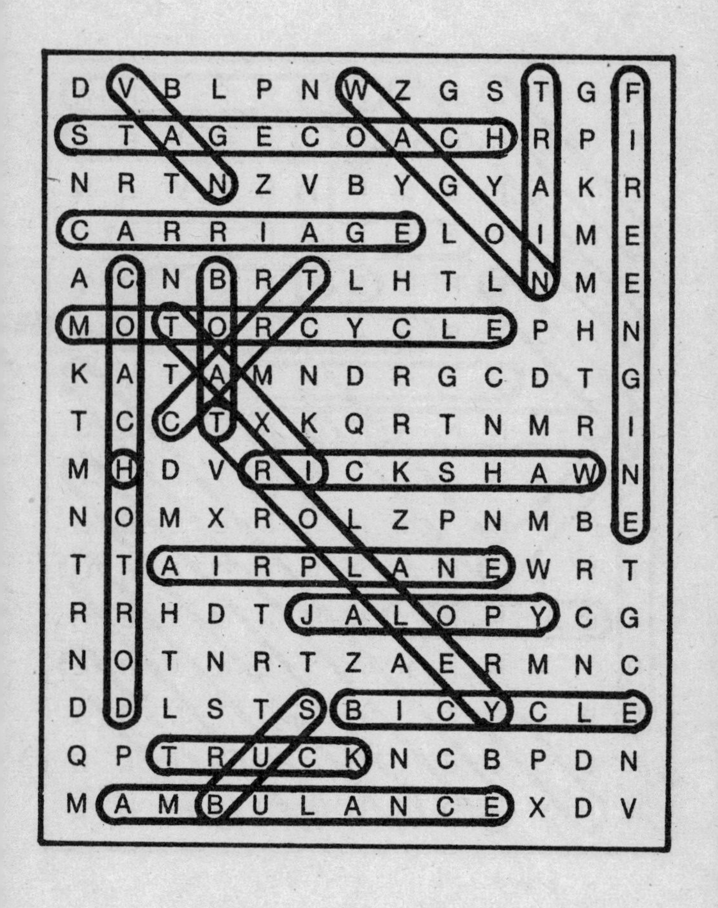